CERDDI JAC GLAN-

John Jones, Jac Glan-y-gors.

CERDDI JAC GLAN-Y-GORS

Golygydd:
E. G. Millward

Cyhoeddiadau Barddas
2003

Argraffiad Cyntaf: 2003

ISBN 1 900437 63 5

Cyhoeddwyd gyda chymorth ariannol Cyngor Llyfrau Cymru

Cyhoeddwyd gan Gyhoeddiadau Barddas
Argraffwyd yng Nghymru gan Wasg Dinefwr, Llandybïe

CYNNWYS

CASGLIAD O WAITH JAC GLAN-Y-GORS

RHAGAIR

Mae hi bron yn ganrif er pan ymddangosodd y casgliad a luniodd Carneddog o gerddi Jac Glan-y-gors. Bu'n rhaid iddo chwilio am flynyddoedd, meddai, am lawer o 'weithiau coll' y bardd ac wedi eu cael parodd chwaeth y cyfnod iddo gwtogi droeon, ac yntau'n awyddus i amddiffyn y bardd yn erbyn cyhuddiad Dafydd Ddu Eryri mai 'rhyw faswedd, mae'n debyg', oedd gwaith Glan-y-gors. Adferwyd y cerddi hynny i'w ffurf gyflawn yn y detholiad hwn a cheir yma hefyd ambell gerdd na welodd olau dydd cyn hyn. Gallai'r bardd lunio rhyw lun ar englyn ond nid oes dim camp arnynt, a dweud y lleiaf, ac ni cheisiwyd cynnwys pob un o'r rheiny. Prif gamp Glan-y-gors oedd canu cerddi dychanus, digrif, ac am hynny'n bennaf y cofir amdano. Enillodd Dic Siôn Dafydd ei le yng nghof y genedl.

Unwaith yn rhagor yr wyf yn ddyledus i Phyllis Kinney am y tonau a gynhwysir yma. Mawr ddiolch iddi am ei chyfraniad arbenigol. Bu Robin Gwyndaf hefyd yn hynod gefnogol a nodir y gefnogaeth honno yng nghorff y gyfrol. A dyma'r eildro i mi fod yn nyled Alan Llwyd am ei gefnogaeth a'i gyfarwyddyd yntau. Diolch cywir iddo ef, i Gwynn ap Gwilym am fwrw golwg dros y deipysgrif, ac i Wasg Dinefwr am roi ffurf gymen i gerddi y mae amryw ohonynt yn dal yn boenus o berthnasol i Gymry'r unfed ganrif ar hugain.

RHAGYMADRODD

Plentyn hynaf Lawrence Jones a'i wraig Margaret oedd John Jones. Ar 10 Tachwedd 1766 y ganed John, yn y cartref teuluol, ffermdy Glan-y-gors, plwyf Cerrigydrudion, Sir Ddinbych, ac yr oedd ganddo chwaer a brawd iau, Margaret (1770-1835) a Robert (1772-1854). Yr oedd Glan-y-gors mewn ardal a oedd eisoes yn adnabyddus fel meithrinfa arbennig y ddawn brydyddol a byddai'r enw yn enwog ledled y wlad cyn diwedd y ddeunawfed ganrif. Yng ngeiriau Owen Jones, 'Meudwy Môn':

> Ganwyd ef yn un o'r llanerchau mwyaf ffrwythlon a fedd ein gwlad, fel cynyrchfa awenyddion, sef wrth odre mynydd Hiraethog.[1]

Nid barn fympwyol mo hon. Cyfeiriodd W. J. Gruffydd at y modd hynod y mae gweithgarwch llenyddol, ar wahanol gyfnodau, yn cael ei grynhoi 'i un rhan neu'i gilydd o Gymru' ac ychwanegodd: 'ceid beirdd yr ail ganrif ar bymtheg yn Ardudwy, a llenorion dwy ganrif yn Sir Ddinbych o gwmpas Mynydd Hiraethog'.[2] Wrth drafod traddodiad llenyddol Dyffryn Clwyd a'r cyffiniau datganodd G. J. Williams mai 'Hon oedd y wlad fwyaf llenyddol a mwyaf barddol yng Nghymru'r ddeunawfed ganrif' a dangosodd nad oedd modd egluro gweithgarwch beirdd y ganrif honno ond trwy 'ei olrhain yn ôl i'r bymthegfed ganrif'.[3] Ceir cadarnhad pellach i waith Gruffydd a G. J. Williams yn ymchwil ddiweddarach Robin Gwyndaf o Amgueddfa Werin Cymru ar feirdd Uwchaled a Bro Hiraethog.[4] Dyma'r etifeddiaeth gyfoethog y ganed mab hynaf Glan-y-gors iddi. Yr oedd prydyddu a chanu cerddi ar geinciau yn rhan annatod o fywyd ei gynefin ac eisoes yr oedd 'Ioan Jones o Lan-y-gors' yn enw cyfarwydd ymhlith y beirdd cyn iddo symud i Lundain, fel y dengys y cerddi cynnar yn y casgliad hwn. Serch hynny, ymddengys na chafodd ddim neu odid ddim addysg ffurfiol. Dywed ambell gofiannydd, heb gynnig tystiolaeth, iddo dreulio peth amser yn ysgol Syr John Wynn yn Llanrwst. A derbyn ei fod yn ymagweddu'n gonfensiynol o lednais wrth annerch Jonathan Hughes (Rhif XXV), rhaid nodi ei fod yn ymddiheuro am ei ddiffyg addysg farddol a'i fod wedi ymroi i 'hir astudio anwastadol', sydd yn awgrymu mai hunanaddysg oedd y cwbl a gafodd. Gellir meddwl mai wrth glywed canu cerddi a'u hadrodd hefyd, mewn ardal lle'r oedd hynny'n gyffredin, y dechreuodd gael blas ar brydyddu a dod yn llythrennog. Mae'n bur debyg iddo gyfansoddi mwy o gerddi cyn mynd i Lundain na'r ychydig a erys ar glawr. Sonnir am y 'Fawlgân i'r Drol Newydd' a luniodd i drol newydd ei dad, yr un gyntaf, meddir, yn y cylch. Cerdd arall na cheir copi ohoni yw 'Cerdd y Te Man', sef hanes y gwerthwr te a gafodd ei dalu trwy fynd i'r gwely gyda gwraig Bryn Patric. Fel mewn amryw o gerddi Saesneg, daw'r gŵr adref yn annisgwyl a rhaid i'r gwerthwr te guddio dan y gwely. Goroesodd copi o'r 'Gân i'r Gigfran', cerdd ddwli, ddisynnwyr a dadogwyd arno, ond y mae ynddi dystiolaeth fewnol sydd yn dangos na all fod yn waith Glan-y-gors.

Nid arhosodd Ioan Jones o Lan-y-gors yn ei gynefin er cyfoethoced ei gysylltiadau llenyddol. Ymfudodd i Lundain rywbryd yn ystod 1789, blwyddyn y Chwyldro Ffrengig. Yn ôl un traddodiad, ffoes i'r brifddinas i ddianc o afael yr awdurdodau a oedd yn presio gwŷr i'r llynges. Dangosodd Bob Owen, Croesor, mai John Jones arall oedd hwnnw, gŵr o Langwm, ac mai rhyw chwe blynedd yn ddiweddarach y bu helynt y Milisia yng Ngherrigydrudion a'r cylch.[5] Traddodiad arall oedd bod Glan-y-gors wedi gyrru gwartheg i'r brifddinas, yn was i borthmon, 'a'i drwyn fewn llathen at gynffon llo', fel Dic Siôn Dafydd yn ei gerdd enwocaf. Er bod hynny'n beth digon cyffredin y mae'n amheus mai dyna a wnaeth Jac Glan-y-gors. Diamau fod y gwaith ar dir y fferm yn galed ond nid oes dim tystiolaeth fod bywyd y teulu yn ormesol o dlawd. Yn wir, cafodd Robert, y brawd iau a arhosodd i weithio'r fferm, fywyd hir a digon ffyniannus. Bu farw yn ddwy a phedwar ugain oed, ar ôl dod yn berchennog ar ragor o dir yn y cylch.

Y mae'n debycach o lawer fod Jac Glan-y-gors, fel cynifer o'i gyfoeswyr, wedi dianc i'r brifddinas i wella ei fyd. Un o'i gyfeillion pennaf yn Llundain oedd Edward Charles (Siamas neu Sierlyn Wynedd, 1757-1828), gŵr galluog arall o Sir Ddinbych. Canodd Siamas gerdd ysgafn yn 1797 sydd yn crynhoi apêl y brifddinas fyrlymus i wŷr ifainc yn y cyfnod hwn:

> Mi af i Lundain ar fy rhedeg,
> Nid wy'n chwennych Cymru'n 'chwaneg,
> Mi gaf yno bob diddanwch

Efo'r galwad a diogelwch, . . .
Dyna fwyniant heb derfynu,
Pwy arhosai fyth yng Nghymru?
Nid oes yma ond trafferthion,
Byd anesmwyth bod yn hwsmon,
Cario'r fatog – beth ynfytach? –
A rhyw driniad ar y dreiniach,
Ym mol y clawdd yn gorfod palu,
A'm traed yn wlybion ac yn fferru, . . .
Codi'r borau yn y barrug
A niwl yn cuddio fal y caddug, . . .
Cân ffarwel i fryniau Cymru,
Mi af i Lundain i was'naethu,
At farsiandwr, hwyliwr hylaw,
A'i aur yn ddilys yn ei ddwylaw;
Dyna bleser bywyd blasus,
Dyna rinwedd dawn yr ynys.
Dilyn swyddau dinasyddion,
Ac weithiau sisial iaith y Saeson. . . .
Porter sydd i'w yfed yno,
Fal yr afon Tems yn llifo.
Mynd i rodio gerddi gwyrddion,
Law yn llaw â'r glân forwynion,
Tea a siwgwr, gwin a sego,
Sydd yn union i'w gael yno;
Gweled cannoedd o ferchedau,
Yno'n bleidiol yn eu blodau;
Dyma'r hanes yn bur gywrain
A dd'wedodd un a fu yn Llundain.[6]

Ond wedi canu clodydd y bywyd bras yn y ddinas gyfoethog ni allai Charles ond tynnu'n ôl at yr henwlad:

Mae yn Llunden bob llawenydd,
Hwyr a bore felly beunydd;
Ond llawenach, rwy'n cyffesu,
Ydyw bryniau siroedd Cymru.

Mae yn Llunden gyfoeth lawer,
A sŵn a thwrw ac yfed porter;
Ac wedi'r cwbwl beth am hynny?
Gwell gen i gael cwrw Cymru.[7]

Fel Siamas Wynedd cadwai Glan-y-gors gyswllt agos a bywiol â Chymru trwy gydol ei fywyd. 'At farsiandwr' yn Llundain, chwedl Siamas, yr aeth i ddechrau. Bu'n gweithio i Davies a Newnham, groseriaid yn Fenchurch Street. Ni bu'n hir yno. Clafychodd ei dad ac yr oedd yn ôl yng Nghymru ym mis Gorffennaf, 1790. Bu farw Lawrence ar 14 Rhagfyr 1790, a chladdwyd ewythr i'r prydydd ymhen wythnos wedyn. Dychwelodd i'r brifddinas ar ddechrau 1791. Y flwyddyn nesaf graddiwyd ef yn fardd yng ngorsedd Iolo Morganwg ar Fryn y Briallu yn Llundain. Yr oedd eisoes yn aelod o Gymdeithas y Gwyneddigion ac ymfwriodd i'w gweithgarwch a'i difyrrwch gan ddod yn fardd swyddogol y gymdeithas, yn islywydd ddwywaith ac yn ysgrifennydd bedair gwaith. Yn 1794 yr oedd ymhlith sylfaenwyr pwysicaf Cymdeithas y Cymreigyddion a chymerodd ran amlwg yn ei dadleuon, er gwaethaf ei 'ystyttio', ei atal dweud: 'John Jones Glan y Gors, a good orator,' meddai Hugh Maurice, un arall o'r sylfaenwyr, 'but having the misfortune of an impediment in his speech, he is sometime before he can set his clapper a going'.[8]

Ac nid areithio yn unig. Difyrrach byth, mae'n siŵr, oedd ei glywed yn canu ei gerddi yng nghyfarfodydd y Cymreigyddion, fel y gwneid yn nhafarnau Cerrigydrudion ac Uwchaled ac fel ei gyfoeswr John Freeth, a gadwai dafarn a thŷ coffi yn Birmingham.[9] Yr oedd Freeth yn faledwr llawer mwy cynhyrchiol ac amrywiol ei destunau. Yn wahanol i'r Cymro canai'n fynych am 'Britain's Glory' a 'Britannia Triumphant', er na allai Glan-y-gors, fel llawer un arall, lai na phrydyddu mawl i Nelson. Byddai Freeth wrthi'n brysur yn cyfansoddi cerddi ar destunau cyfredol ac yn arwain y difyrrwch beunos yn y Leicester Arms yn Birmingham, gan ennill poblogrwydd mawr. Enillodd Glan-y-gors yntau fri cyffelyb ymhlith y Cymry yn Llundain – cerddi ar donau yw'r rhan helaethaf o'i waith – a rhagorodd ar y Sais trwy greu ffigurau cofiadwy yn ymgorffori gwrthrychau ei ddychan. A gwrando ar ei gerddi a wneid i ddechrau; eu mwynhau ar lafar cyn eu gweld mewn print.

Wedi ymsefydlu yr eilwaith yn Llundain bu Glan-y-gors yn gweithio i wneuthurwr hetiau o'r enw North yn Southwark. Erbyn mis Ebrill 1793, yr oedd yn cadw'r Canterbury Arms, tafarn yn yr un ardal, 'ychydig islaw Pont Llundain', meddai Siamas Wynedd. Daeth hynny i ben ar ôl rhyw ddwy flynedd, ac erbyn 1795 yr oedd gyda Rock & Shute a ddisgrifir fel 'Silkmen' yn Ivy Lane, Paternoster Row.

Yr oedd blynyddoedd olaf y ganrif yn rhai cyffrous yn hanes Glan-y-gors. Cyhoeddwyd ei lyfrau rhyddiaith, *Seren Tan Gwmmwl* yn 1795 a *Toriad y Dydd* yn 1797. Er bod Siamas Wynedd yn gyfaill agos o gyffelyb fryd, yr oedd ymhell o ddal yr un safbwynt gwleidyddol, ac ymosododd yn chwyrn ar *Seren Tan Gwmmwl* ar dudalennau *Y Geirgrawn*, 1796. Dyma'r gŵr a allai ganu 'Hiraeth y Bardd am ei Gyfaill J. Jones Glan y Gors, pan aeth o Lundain i Gymru',[10] ond hefyd 'Duchan i'r *Democrats*, neu'r dynion sydd yn siarad yn erbyn y Brenin a'r Lywodraeth (*sic*) yn y dyddiau hyn 1795'.[11] Yn sicr, yr oedd Glan-y-gors ymhlith y mwyaf huawdl o'r dynion hynny, ac yr oedd datgan barn yn erbyn y frenhiniaeth yn gyffredinol a choron Lloegr yn benodol, yn erbyn Eglwys Loegr a Thywysog Cymru, a disgrifio'r 'Senedd Gyffredin' fel 'y tŷ mwyaf llygredig a halogedig a adeiladwyd mewn gwlad erioed' yn feiddgarwch o'r mwyaf mewn cyfnod o ryfela yn erbyn Ffrainc, pryd y mabwysiadwyd deddfau gorthrymus i fygu'r fath farn radicalaidd. Yr oedd rhyddiaith Glan-y-gors yn gwahodd y cyhuddiad o deyrnfradwriaeth.[12] Fel Tom Paine, awdur ei feibl seciwlar, bu'n rhaid i'r Cymro yntau fynd ar ffo. Yng ngwanwyn 1798 ffodd yn ôl i'w gynefin. Cafodd loches gan y bardd Rolant Huw (1714-1802), ym mhlwyf Llangywer, ac yr oedd yn ffermdy Glan-y-gors pan ysgrifennodd at Edward Charles, 16 Mai, i ddweud: 'Dyma fi wedi cyredd i eithafoedd y mynyddoedd yn llwyddiannus'.[13] Mae'n amlwg ei fod yn teimlo'n ddigon diogel i fynd i Eisteddfod Caerwys, 1798, a chael blas ar y miri a'r 'bobl pensyfrdanllyd' yn yr ŵyl, digon o flas yn wir i lunio 'Awdl Newydd' ar yr achlysur. Yn ôl pob tebyg aeth i'r eisteddfod gyda'i frawd, oherwydd graddiwyd Robert yn 'Ddiscybl Penceirddiaid' yno. Erbyn y flwyddyn nesaf yr oedd wedi dychwelyd i Lundain ac wrth ei waith unwaith yn rhagor gyda Rock & Shute.

Ychydig iawn a wyddys am fywyd teuluol Glan-y-gors yn Llundain. Methodd gael gweddw gefnog o Gymraes yn wraig iddo, os gellir credu'r gerdd ar y pwnc (gw. Atodiad). Ar 23 Gorffennaf 1816, priododd Saesnes, Jane Mundel, gynt o Whitehaven, Cumberland, ond erys y wraig hon yn y cysgodion, heb ddim sôn amdani. Dichon iddi farw o'i flaen. Mor gynnar â 1794 canodd gerdd ymddiddan ar y cyd gyda Siamas Wynedd, a oedd yn meddwl am briodi,[14] a mynegir barn go sinicaidd am yr ystad yng nghyfraniad Glan-y-gors. 'Direswm', meddai, fyddai mynd 'i'r cwlwm caeth':

Ac i'th ddifyrru cei o dy wely
'Rwy'n credu, siglo'r crud;
A'th wraig yn llesg a llwyd,
A'r plant yn gweiddi am fwyd.

Ni fynnai ymwadu â chwmni merched. Ei gyngor i Siamas yw mai bywyd rhydd sydd orau i fardd:

Nid gwenwyn ydyw geneth
Ond heleth flodau haf;
Tra bo hi'n ifanc ac yn nwyfus
Ei gweddus gwmni a gaf.

Ymddengys na chafwyd plant o'r briodas â Jane. Gellir meddwl bod priodi Saesnes yn dangos ei fod wedi cymryd ei le'n ddiddig yn y bywyd Seisnig, ochr yn ochr â'i fywyd mwy diddig fyth ymhlith ei gyd-Gymry. Yn wir, cyn priodi cyhuddwyd ef a Bardd Môn gan Siamas Wynedd o farddoni yn Saesneg; troi'n 'brydyddion fal Saeson sosi':

On'd yw g'wilydd i'w weld, y gwaelion,
Dau was ysig unfryd â Saeson.[15]

Erbyn dechrau 1818 yr oedd Glan-y-gors yn cadw tafarn y King's Head, Ludgate Hill, nid nepell o Eglwys Gadeiriol St. Paul. Ceir awgrym fod ei wraig yn gefnog, ac efallai mai hynny a'i gwnaeth hi'n bosibl iddo brynu'r King's Head, oherwydd sonnir amdano fel perchennog yn hytrach na thenant. Bu'n hael ei gymwynas o hyn ymlaen, a dywedir ei fod yn rhoi croeso cynnes i unrhyw Gymro neu Gymraes a ddeuai i'r brifddinas – un nodedig ymhlith y rhain oedd Betsi Cadwaladr – a byddai'r Gwyneddigion a'r Cymreigyddion yn cyfarfod yn y King's Head. Ni chafodd fawr o amser i fwynhau bywyd hwyliog fel tafarnwr diwylliedig. Gwaethygodd ei iechyd a bu farw ar 4 Mai 1821. Ond yr oedd wedi hen ennill ei le fel baledwr tra phoblogaidd, nid yn unig ymhlith ei gyd-alltudion ond ledled Cymru.

Fel y nodwyd, amheuwyd Glan-y-gors o deyrnfradwriaeth oherwydd ei ddaliadau blaengar yn ei weithiau rhyddiaith. Cyhuddwyd ef hefyd o fod yn anffyddiwr, a hynny, mae'n siŵr, oherwydd ei elyniaeth ddidostur i'r Methodistiaid. Yn ôl Iolo Morganwg, ar air 'Ginshop Jones' (gw. isod), awdurdod ychydig yn amheus, y galwyd Glan-y-gors, Hugh Maurice a Siamas Wynedd 'as being three of the rankest infidels of all the Gwyneddigion'. Nid rhyfedd bod Glan-y-gors wedi cael blas arbennig ar ddychanu Edward Jones. Gwadwyd bod y bardd yn anffyddiwr gan ddyn a'i cyfrifai ei hun yn gyfaill iddo, sef y Parchedig Evan Evans, gweinidog gyda'r Bedyddwyr yn Llundain.[16] Mewn araith goffa yng Nghymdeithas y Cymreigyddion, a gyhoeddwyd yn *Seren Gomer*, IV (1821), dangosodd fod Glan-y-gors yn amddiffyn yr aelodau rhag y cyhuddiad mai '*Deistiaid*, *Atheistiaid*, *Sosiniaid*, ac *Unitariaid*, ydym ni, y Cymreigyddion' a'i fod wedi dweud wrtho nad oedd '*gydag unrhyw blaid o grefyddwyr: eto nid ydwyf yn erbyn crefydd*'. Tystiodd ei fod wedi cyfrannu at sefydlu o leiaf un achos gyda'r Bedyddwyr a'i fod wedi cefnogi gwaith Cymdeithas y Beiblau. Trwy fod yn wrthenwadol ac yn wrthoffeiriadol yr oedd Glan-y-gors yn ymwrthod ag awdurdod ym myd crefydd, heb gefnu ar Dduw. Nid oedd safiad o'r fath yn anghyffredin ymhlith meddylwyr Oes y Goleuo, a diau ei bod yn haws coleddu'r syniadau hyn yn y metropolis. Ond i arweinwyr y Methodistiaid Cymraeg yr oedd barn wleidyddol a chrefyddol Glan-y-gors yn weddau cysylltiol ar agwedd beryglus iawn, ac aethant ati i'w gwrthod ac i ddatgan eu teyrngarwch i'r goron. Er enghraifft, y mae rhannau o *Gair yn ei Amser at Drigolion Cymru* (1797) o waith y Parchedig Thomas Jones, Dinbych, yn darllen fel ateb i'r ymosodiadau a geir yn *Seren Tan Gwmmwl* (1795). Ys dywedodd Thomas Jones:

> Bydded pob un yn barod, yn ei le a'i sefyllfa, ac yn ol ei allu, i ufuddhau i alwad y Llywodraeth, ac i gyflawni'r gwasanaeth a osodo iddo. Ymroddwn oll (gan wybod mai ein dyledswydd ydyw) i sefyll neu i syrthio, gyda Chrefydd Crist, gyda'n Brenin a'n Dau Dy o Barliament, gyda'n Cyfreithiau a'n Rhyddid, a chyda Gwir Achos ein Gwlad a'n Teyrnas.[17]

A dywedodd y Parchedig Thomas Charles o'r Bala, cyfaill Thomas Jones, am *Seren Tan Gwmmwl*: 'The leaders of the Welsh Methodists, without any exception, detest the principles contained in it'.[18] Fodd bynnag, daliai Evan Evans fod Glan-y-gors 'yn credu ac yn caru y Bibl' a'i fod 'yn caru gwneud daioni i achos crefydd yr Ymneillduwyr'. Canodd y Bardd Cloff yr un mor ffyddiog amdano yn ei englynion marwnad:

> Glan y Gors aeth at orsedd – ei Brynwr,
> Brenin y Tangnefedd!
> Ac yno y ca annedd,
> A chlau barch, uwchlaw y Bedd.

Gwelodd Glan-y-gors rai o'i gerddi mewn print yn ystod ei fywyd. Un ohonynt oedd y gerdd boblogaidd ar Ddic Siôn Dafydd, a oedd eisoes yn cylchynu pan gyhoeddwyd mil o gopïau o daflen yn 1801 gan Gymdeithas y Cymreigyddion yn cynnwys hanes 'Ginshop Jones', sef *Llythyrau Mr. Edw. Jones, pregethwr Cymreig y Methodistiaid, yn Llundain, Gŵr gweddw tair a thriugiain oed! At ei gariad, Miss Gwen Prydderch, merch ieuangc wyth ar hugain!!! Y nghyd â hanes byr o'r trial, &c.* Rhan fawr o apêl y cyhoeddiad brathog hwn oedd 'Cerdd Gwenno Bach' (VII), y gerdd fasweddus na allai Carneddog ond cynnwys un pennill ohoni yn ei gasgliad o waith y bardd. Yr oedd Edward Jones o Lansannan yn weinidog gyda'r Methodistiaid Calfinaidd, ac yn gymeriad brith a barodd gryn drafferth iddynt. Torrodd addewid priodas i Miss Prydderch, a bu'n rhaid iddo dalu dirwy o hanner can punt iddi. Yn fuan wedyn, cynhwyswyd 'Cerdd Dic Siôn Dafydd' yn *Barddoniaeth* Bardd Nantglyn (1803) a cheir tri englyn o waith Glan-y-gors yng nghyfrol Dafydd Ddu Eryri, *Corph y Gaingc* (1810). Cafodd tair cerdd arall (I, VI, XIV isod) le yn y flodeugerdd boblogaidd *Blwch o Bleser i Ieuenctyd Cymru* (1816) a adargraffwyd o leiaf bedair gwaith. Wedi ei farw manteisiwyd ar ei boblogrwydd gan olygyddion blodeugerddi fel *Yr Awen Lawen* (1826), *Y Clerwr* (d.d., cyn 1856), *Yr Awen Fywiog* (1858) ac eraill.

Ond wrth i'r bedwaredd ganrif ar bymtheg a chyfnod euraid y baledwyr ddod i ben yr oedd yn anochel, efallai, y byddai hanes y prydydd ffraeth a luniodd gymeriadau fel Dic Siôn Dafydd a Bessi o Lansantffraid yn dechrau mynd yn angof, er bod cryn nifer o'i gerddi dychanus yn dal i gylchynu'n helaeth mewn taflenni. Pan aeth Ceiriog ati i lunio *Gemau'r Adroddwr* cynhwysodd bedair o gerddi Glan-y-gors yn ei ddetholiad ond chwiliodd yn ofer am wybodaeth amdano:

> Am John Jones neu Jac Glan-y-gors, methais gael ond ychydig hanes ac oblegyd ryw rodres neu gamsyniad, methais gael hyd i'w enw yn mysg "Enwogion Cymru" a'r geiriaduron bywgraffyddol.[19]

Yn *Baner ac Amseru Cymru*, 9 Awst 1882, ceir rhyw 'Z. M'cQ' yn dweud bod angen casgliad o 'hen faledi Cymreig poblogaidd yr oes o'r blaen' ac yn holi am hanes Glan-y-gors a'i gerddi. Daeth tro ar fyd pan gyhoeddwyd erthygl wybodus Isaac Foulkes (Llyfrbryf, 1836-1904) yn *Y Geninen*, Hydref 1883. Yr erthygl hon a gymhellodd Richard Griffith (Carneddog, 1861-1947) i lunio ei gasgliad helaethach – cyfaddefodd y Llyfrbryf na wyddai ond am wyth o gerddi'r bardd. Hyd yn oed wedi hyn gallai 'Baledwr' ofyn yn *Cyfaill yr Aelwyd*, ar ddechrau 1885: 'Pwy oedd Jac Glan y Gors? Pa le yr oedd yn byw? A oes rhywfaint o'i weithiau ar gael, a pha beth yw eu teilyngdod?' Ceisiodd Cadrawd a Henri Myllin ac ambell un arall ateb y cwestiynau hyn a dod ag ychydig o'i gerddi i'r golwg, ond bu'n rhaid aros am ugain mlynedd eto cyn cael casgliad gwerthfawr ond anghyflawn Carneddog yng Nghyfres y Fil, *Gwaith Glan y Gors* (1905). Soniodd Carneddog yn 'Cyffes y Casglydd' am gyhuddiad Dafydd Ddu Eryri mai 'rhyw faswedd, mae'n debyg, ydyw gwaith Glan y Gors'. Amddiffynnodd y bardd yn lew yn erbyn y cyhuddiad hwn, ond bu'n rhaid iddo docio rhai o'r cerddi i wirio ei farn. Fel y dengys cryn dipyn o gynnyrch Glan-y-gors, nid oedd hiwmor a chwaeth diwedd Oes Victoria a'r cyfnod Edwardaidd yr un â chwaeth diwedd y ddeunawfed ganrif.

* * *

Er nad oedd Jac Glan-y-gors yn brydydd toreithiog, gellir gweld amrywiaeth diddorol yn ei waith. Y mae'r 'Awdl Newydd' a gyfansoddwyd ar Fesur Clidro yn ddiogel yn hen draddodiad y glêr. Canwyd cerddi fel 'Dwyfol Ymddiddan' a 'Gwrandewch Brydyddion' cyn i'r bardd gefnu ar ei fro, a cherddi ydynt sy'n dangos ei fod yn gwbl gyfarwydd ag arddull beirdd y canu rhydd yn y ddeunawfed ganrif – y canu acennog a chyflythrennol a chynganeddol ar donau. Fel llawer o'i gyfoeswyr, bu'n ymryson â phrydyddion eraill. Canodd Elis y Cowper (Elis Roberts, m.1789), Eos Gwynedd (John Thomas, 1742-1818) a Bardd Siabod yn ei erbyn am ddychanu merched, ac atebwyd hwy gan 'y prydydd ieuanc', chwedl Eos Gwynedd, yn y gerdd 'Gwrandewch Brydyddion', yr unig un o'r ymryson o waith Glan-y-gors a oroesodd.

Wedi ymgartrefu yn Llundain daeth dan ddylanwad trwm a ffrwythlon y canu baledol Saesneg, yn enwedig baledi'r stryd, cerddi'r awen drefol. Cynnyrch yr awen hon – er bod eu *cyd-destun* weithiau yn fwy gwledig na threfol – yw 'Cerdd Twm y Bugail', 'Cerdd Miss Morgans Fawr', 'Cerdd Gwenno Bach' a 'Bessi o Lansantffraid' a nodi'n unig y cerddi am ferched. Yn achos 'Cerdd Gwenno Bach', wrth gwrs, y mae rhagfarn wrthfethodistaidd y prydydd yn grymuso'r ymdriniaeth amharchus, fasweddus, sydd yn nodweddu llawer o faledi'r stryd. Ond yr oedd Cymreictod cyhyrog Glan-y-gors yn foddion iddo roi ei argraff bersonol ei hun ar y math hwn o ganu poblogaidd. Yr oedd yr elfen ddychanus ynddo cyn iddo ymadael â Cherrigydrudion. Yn Llundain tyfodd yn brif ddychanwr ei oes, Jac Glan-y-gors.

Yn ei dafarnau ac yn y cymdeithasau Cymreig cafodd Glan-y-gors gyfle amheuthun i sylwi ar deip cyfarwydd o Gymro a ddeuai i'r ddinas. Gwnaeth ei ganu dychan yn offeryn miniog i hybu Cymreictod trwy ddarlunio'r Cymry hynny a oedd eisoes yn adnabyddus ac wedi derbyn sylw brathog amryw o lenorion Cymraeg. A'i ragoriaeth fel dychanwr oedd creu cymeriadau cofiadwy sydd yn ymgorffori ei ddychan. Y mae'n bwysig cofio nad ymagweddu yn egwyddorol a gwladgarol ar wahân i helynt bywyd bob dydd oedd amcan Glan-y-gors. Yr oedd yn ddyn a gâi flas arbennig ar fyw bywyd Cymro Cymraeg yng nghanol Seisnigrwydd Llundain, blas llawen a dderbyniai wg crefyddwyr y ddinas. Tystiolaeth i hynny yw'r gerdd a luniodd Hugh Maurice am yr hwyl a gafwyd yn un o gyfarfodydd y Cymreigyddion a'r miri mwy wedi'r cyfarfod.[20] Ceir yr un darlun yn un o lythyrau Glan-y-gors at 'Iorwerth ap Sierlyn', sef Edward Charles, rywbryd yn 1801, sydd yn disgrifio taith i fyny Afon Tafwys mewn hirfad a rwyfwyd gan rai o griw rhyw 'Captain Jones' gyda 'John Owens, M.Thomas . . . and a Captain Roberts from Dublin'. Llanwyd y bad gyda bwyd a diodydd amrywiol, pibau a thybaco ac i ffwrdd â hwy:

> . . . we went up the River as far as Barnes, where we dined on a favourite spot, in a field there. I preach[ed] two sermons in the course of the day. The first on the immortal methodistical *Tune* calld *Hanes Dic Sion Dafydd* &c. The second was an oration in praise of *Drunkness* (*sic*). I began with Noah and proved to the satisfaction of my audience that most of the Heroes of the old Testament were *drunkards* and from that time to this drunkness has always been in

> practise and fashion and received with applause by every sect of people and all nations upon earth &c. We calld at the port of Lambeth in our way home, it was late in the evening . . .[21]

Dyma bregethau gwahanol iawn i'r rheiny a baratowyd ar gyfer y morwyr o Gymru gan y 'Cambrian Union Society for Seamen' yn Llundain.[22] Arall oedd diddordeb Glan-y-gors, a gafodd yr enw o fod yn areithiwr da er gwaethaf ei 'ystyttio'.

Y cymeriad cyntaf a greodd oedd Dic Siôn Dafydd, cynddelw'r Cymro *déraciné*. Nid Glan-y-gors oedd y cyntaf i sylwi ar duedd rhai Cymry cynhwynol i wadu'u mamiaith a'u diwylliant. Gwnaed hynny trwy'r cenedlaethau gan feirdd a llenorion fel Simwnt Fychan, Siôn Dafydd Rhys, Gruffydd Hiraethog, Rhisiart Phylip a Rowland Vaughan. Ond nid oedd neb wedi canu mor syml a chofiadwy ac mor finiog o ddychanus am bobl o'r fath. Gwyddai Thomas Jones, y swyddog tollau, fod Dic yn gymeriad cyfarwydd yng nghyfnod Glan-y-gors:

> . . . his Dic Siôn Dafydd is the best picture I ever saw on such a subject. It possesses great merit and paints in the most lively colours a striking resemblance of many a Fool I have seen coming piping hot from London to their Native Cots.[23]

Gwir y dywedodd y Llyfrbryf mai hon oedd y gerdd 'fwyaf hysbys' o waith y bardd. Ailgyhoeddwyd hi droeon lawer gan argraffwyr trwy Gymru gyfan yn ystod y bedwaredd ganrif ar bymtheg, ac aeth enw Dic Siôn Dafydd yn rhan o'r iaith ac o gof y genedl.[24]

Cerdd seml yw hon ar yr wyneb, ond amlweddog ei dychan. Yn y pennill cyntaf ceir ergyd i barch adnabyddus y Cymry i achau anrhydeddus. Yn hyn o beth ymunodd Glan-y-gors â dychanwyr Saesneg ers canrif a mwy.[25] Y mae Dic yn wladwr cyffredin, anllythrennog, ond yn perthyn i linach Albion Gawr, ffigur mytholegol. Hynny yw, nid apêl at hanes sydd yma ond at fyth. Nid arhosir gyda'r thema hon. Eir ymlaen i ddangos sut yr aeth Dic yn ysglyfaeth i falchder. Hyd yn oed yng Nghymru fe'i nodweddid gan ryw falchder naïf, garw. Wedi blasu'r bywyd Llundeinig rhaid iddo anelu'n uwch a 'bwrw ei henflew'. I borthi'r balchder cymdeithasol, dinesig hwn y mae'n cefnu ar ei Gymreictod ac yn cofleidio Seisnigrwydd, o ran iaith, ffasiynau dillad (un o hoff bynciau dychan y prydydd) ac agwedd ddifrïol at y bobl y cefnodd arnynt, ei bobl ei hun. Prawf o'i falchder rhodresgar yw'r modd y mae Dic yn teimlo rheidrwydd i ddychwelyd i'w gynefin i ddangos ei 'gynnydd', ac yno ni all siarad â'i fam. Dyna haenau'r dychan yn gyflawn. Y mae'r rhwyg yn bersonol ac yn deuluol: '*Mother, you can't speak with me*'; yn gymdeithasol – nid oes iddo le yn ei hen gymdeithas, ac y mae hynny'n destun hunanfalchder iddo; yn genedlaethol, ac yntau'n cefnu ar ei iaith a'i genedl ac yn mynnu bod yn Sais uniaith newyddanedig. Y mae'r cymhelliad gwladgarol yn amlwg ddigon felly, ond efallai nad dyna ergyd bwysicaf y gerdd. Fel y dengys y sôn am anonestrwydd Dic a'r cymhwysiad cryno yn y pennill olaf, y mae'r gwladgarwch yn gweithio yng nghyd-destun ple sylfaenol am ddiffuantrwydd a gonestrwydd. Nid yw Glan-y-gors yn condemnio ymgais i wella safle cymdeithasol ac ariannol – gwnaeth hynny ei hunan trwy ei fywyd – ond dylai'r Cymro 'ddod ymlaen yn y byd' heb aberthu didwylledd a chenedligrwydd: 'Dyn cymedrol ddeil i fyny'. Gwir foneddigeiddrwydd sydd ei angen, meddai, nid crachfoneddigeiddrwydd.

Fel ym myd llyfrau a ffilmiau, esgorodd poblogrwydd 'Cerdd Dic Siôn Dafydd' ar gerddi eraill yn yr un rhigol. Yr un nesaf oedd ymson Dic ynglŷn â'i fywyd. Yma eto, y mae Dic yn cyfaddef mai 'dilyn balchder byd' yw'r rheswm am ei gwymp. Caiff ei dwyllo hefyd gan Maria Julia Angelina sydd yn dilyn yr un trywydd, ac y mae'r ddau yn mynd i afael tlodi dygn, gyda'r ddwy linell olaf yn dangos ystad ddiobaith y tlodion mewn cyfnod didrugaredd. Parri Bach, cefnder Dic, sydd 'yn byw mewn balchder di-bwyll', yw'r ymgorfforiad nesaf o hunanfalchder, mursendod a thwyll. 'Bessi o Lansantffraid' yw'r fersiwn benywaidd, a hithau'n chwennych cael gŵr bonheddig, cefnog, ac yn ymhonni'n ferch fonheddig ei hun 'yn uchel ryfeddol o fawr'. Cedwir y cyswllt â Dic a'i deulu trwy sôn am gefnder (arall?) iddo 'yn chwennych ei thrin', a'r ddau hyn hefyd yn dod i ddiwedd eu rhawd mewn tlodi, a'r cefnder yng ngharchar am ddyled. Chwarae'r un 'hen dôn gam' â Dic Siôn Dafydd y mae'r 'gŵr bonheddig yn Llundain', gyda phwyslais yn y gerdd hon ar dwyll mewn busnes a bod yn anhrugarog at ddyledwyr. Y mae'r pum cerdd gyntaf yn y detholiad hwn, felly, yn perthyn yn agos i'w gilydd. Creodd Glan-y-gors gymeriadau cofiadwy sydd yn gynnyrch sylwadaeth graff, ymwybod effro â ffordd y byd, hiwmor a gallu disgrifiadol. Fel ei gyfaill Twm o'r Nant yn yr anterliwt *Tri Chryfion Byd* (1789), dyry wedd Gymreig ar y balchder cyfoes a welai ymhlith ei gydwladwyr yn Llundain ac yng Nghymru, gan ddychanu rhagrith y gwŷr a'r gwragedd a fynnai ddiosg eu cenedligrwydd a gwadu eu gwreiddiau mewn ymgais i ymelwa a dringo'r ysgol gymdeithasol. Yng ngeiriau Twm o'r Nant ar ddechrau'r anterliwt:

> Mae balchder Cymry ffolion
> I ymestyn ar ôl y Saeson,
> Gan ferwi am fynd o fawr i fach
> I ddiogi'n grach fon'ddigion.[26]

Creu hwyl yw amcan cyntaf cerddi Glan-y-gors ond dengys y gweddill o'r gwaith a gynhwysir yma na ddylid byth golli golwg ar gyd-destun ei ddychan. Achub y cyfle i ddinoethi'r hyn a ystyriai yn rhagrith y Methodistiaid a wnaeth yn y cerddi i Edward Jones. Yn 'Hanes y Sesiwn yng Nghymru' dangosodd ffolineb cyfundrefn gyfreithiol yr oedd ei gweithredoedd yn annealladwy i gorff y boblogaeth. Nid ymosod ar anghyfiawnder y gyfundrefn estron hon a wnaeth ond chwerthin am ei phen, ac o'r herwydd yr oedd yr ergyd yn llawer mwy effeithiol a chofiadwy. Dilornodd oferedd rhai o offeiriaid Eglwys Loegr a melltith y degwm yn 'Person Sir Aberteifi' a 'Gwrandawed pob Cymro'. Yn 'Yr Hen Amser Gynt' a 'Pan oedd Bess yn Teyrnasu', fel ei gymrodyr Saesneg, ymroes i fwynhau ychydig o *nostalgia*, hiraeth braidd yn ansylweddol am a fu. Ond yma eto, nid yw'r hiraeth yn ddiamcan. Yr ochr arall i'r darlun delfrydol o'r amser gynt yw dychan ar y mursendod cyfoes a welai o'i gwmpas, yn ffasiynau, anghymreigrwydd a safonau gwachul y byd masnachol: 'trecha treisied, gwaedded gwan'. Defnyddir y darlun o gyfnod Bess, yr hen amser gynt, i wrthgyferbynnu'r gorffennol â'r presennol, a chaiff fod y byd cyfoes a'i 'gyfnewid' yn ddirywiad personol, cymdeithasol a chenedlaethol.[27]

Cerddi achlysurol yw'r gweddill o'r rhai a gynhwysir yma, ar wahân i ddyrnaid o gerddi (XXVI-XXVIII) sydd yn dangos bod deunydd telynegwr yn Jac Glan-y-gors. Yn 'Toriad y Dydd' ceir ymateb teimladol a disgrifiadol i syndod y wawr. Y mae'r emosiwn yn ddwysach byth yn 'Tewch ag Wylo', testun y byddai bardd Victoraidd wedi'i orlwytho â gormodedd o sentiment. Cais ail-greu awyrgylch amheuthun Nos Galan yn 'Myfyrdod', gyda sŵn clychau'r flwyddyn newydd yn torri ar ddistawrwydd y noson yn 'ein dinas dlos' ac yn atgoffa'r bardd o'i feidroldeb. A cherdd yw hi na allai anghrediniwr fod wedi'i chanu. Caneuon yw'r rhain sydd yn edrych ymlaen at lawer iawn o ganu cyffelyb yn ystod Oes Victoria.

Ond fel dychanwr ffaeleddau ei gyd-wladwyr a beirniad cymdeithasol yn bennaf yr enillodd Jac Glan-y-gors ei le arhosol yn llên Cymru. Cydiodd Dic Siôn Dafydd yn nychymyg beirdd ar ei ôl, ac erys Dic a'i berthnasau llenyddol yn her i'r Cymry dros ddwy ganrif ar ôl eu creu.

NODIADAU

1. Owen Jones, *Cymru*, I (1875), 702.
2. W. J. Gruffydd, *Llenyddiaeth Cymru. Rhyddiaith o 1540 Hyd 1660* (1926), 31.
3. G. J. Williams, 'Traddodiad Llenyddol Dyffryn Clwyd a'r Cyffiniau', *Trafodion Cymdeithas Hanes Sir Ddinbych*, I (1952), 30.
4. Y mae arnaf ddyled i Robin Gwyndaf am ei gefnogaeth a'i gymwynasgarwch yn gadael i mi gael copïau o rai o'i gyhoeddiadau ar y pwnc hwn, ynghyd â chopïau o ddefnyddiau perthnasol eraill. Am restr o'i aml gyfraniadau gw. Eifion Roberts a Robin Gwyndaf, *Yn Llygad yr Haul* (1992), 296-99. Gw. hefyd sylwadau Trefor Edwards, *Cau Bwlch* (2001), 111-17, lle mae'n trafod pwysigrwydd 'y gymdeithas awenyddol' hon trwy'r canrifoedd wrth ymdrin â gwaith Thomas Jones, Cerrig Gelltgwm, bardd, athro barddol ac awdur *Beirdd Uwchaled* (1930). Sonia Trefor Edwards hefyd am y traddodiad tafarnol bywiog yng Ngherrigydrudion, lle'r oedd chwe thafarn mor ddiweddar â dechrau'r ugeinfed ganrif. Byddai'r Glan-y-gors ifanc yn gwbl gartrefol ymhlith y telynorion, y datgeinwyr a'r prydyddion a arferai ddod ynghyd yn nhafarnau'r pentref. Nid yw'n syndod iddo fynd ati i geisio ail-greu'r bywyd hwn fel tafarnwr yn Llundain.
5. Bob Owen, 'Jac Glanygors a'r Milisia', *Y Genhinen*, III (Gaeaf, 1952), 1-7.
6. LlGC 106, 204-6 (Rhif meicro-ffilm o nifer o lawysgrifau yn y Llyfrgell Brydeinig).
7. Ibid., 238. Y mae'n amlwg fod Charles wedi paratoi'r casgliad hwn o gerddi rhydd a chaeth i'w gyhoeddi. Ceir hysbysiad yn *Seren Tan Gwmmwl* (1795) yn rhoi manylion am 'Bruttwn Gwynedd', i'w gyhoeddi maes o law, ond ymddengys na welodd olau dydd. Yr oedd Charles yntau yn Llundain erbyn 1789 ac yn gweithio i ddilledydd.
8. E. G. Millward, 'Cymdeithas y Cymreigyddion a'r Methodistiaid', *Cylchgrawn Llyfrgell Genedlaethol Cymru*, XXI (Haf, 1979), 110.
9. Ar Freeth gw. John Horden, *John Freeth (1731-1808) Political Ballad-Writer and Innkeeper* (1993).
10. LlGC 106, 32-4.
11. Ibid., 79-81.
12. Yn y flwyddyn y cyfansoddwyd cerdd ddychan Edward Charles, pasiwyd y 'Treason

and Sedition Act', y 'Treasonable Practices Act' a'r 'Seditious Meetings Act'. Yn 1794 cafwyd y 'Treason Trials' yn Llundain yn erbyn Thomas Hardy, John Horne Tooke a John Thelwall, a'u cael yn ddieuog. Bu hyn yn hwb i radicaliaid yr oes ac yn ergyd i lywodraeth a fynnai ddileu pob arwydd o chwyldro tybiedig. Yn 1795 cafwyd cynhaeaf gwael a phrisiau gwenith uchel o'r herwydd. Pan oedd ar ei ffordd i agor y Senedd taflwyd cerrig at goets y brenin a thorri un o'r ffenestri gan brotestwyr yn gweiddi 'Dim rhyfel! I lawr â Pitt! Dim brenin!', a gorymdeithiodd miloedd lawer o bobl yn fygythiol ar strydoedd Llundain. Y flwyddyn nesaf gwrthryfelodd morwyr y llynges yn Nore a Spithead. Ym mis Awst 1801, gwysiwyd Tomos Glyn Cothi o flaen llys y Sasiwn Fawr yng Nghaerfyrddin ar gyhuddiad o lefaru geiriau bradwrus a chanu cerddi chwyldroadol. Fe'i carcharwyd am ddwy flynedd. Cyn i Jac Glan-y-gors farw, cafwyd rhagor o ddeddfwriaeth yn cryfhau'r gosb am 'eiriau bradwrus' a rhoddwyd awdurdod i chwilio tafarnau a thai preifat i ynadon heddwch. Nid chwarae plant oedd cyhoeddi llyfrau rhyddiaith Glan-y-gors a rhai o'i gerddi.

13. W. E. Lloyd Davies, 'Un o lythyrau Jac Glan y Gors', *The Bulletin of the Board of Celtic Studies*, IV (1929), 129.
14. 'Llundain Fis Mehefin A.D. 1794. Dau fardd yn ymddiddan am briodi a hynny bob yn ail bennill. Tôn; Toriad Y Dydd'. LlGC 106, 171-6.
15. 'Awdwl Duchan i John Jones (alias) Glann y Gors, a William Jones (alias) Bardd Môn; dau Brydydd Cymreig yn Llundain; a hyn am iddynt droi yn brydyddion Saesneg, Fis Tachwedd, A.D. 1813'. LlGC 106, 143.
16. Gŵr annibynnol ei farn oedd Evan Evans (1773-1827), ond gweithiodd yn ddygn i sefydlu achosion yng Ngogledd Cymru ac yn Llundain. Gw. T. M. Bassett, *Bedyddwyr Cymru* (1977), 225-6; *Y Bywgraffiadur Cymreig hyd 1940*, 215-6.
17. Jonathan Jones, *Cofiant y Parch. Thomas Jones o Ddinbych* (1897), 110.
18. D. E. Jenkins, *The Life of the Rev. Thomas Charles*, II (1908), 365.
19. John Ceiriog Hughes, *Gemau'r Adroddwr: o Bob Lliw, o Bob Llun, ac o Bob Lle* (d.d.), 86-7. Cyhoeddwyd y *Gemau* yn ystod cyfnod Ceiriog ym Manceinion, 1848-65. Nid at *Enwogion Cymru* Isaac Foulkes (1870) y cyfeirir yma oblegid ceir ynddo gofnod ar Lan-y-gors, 615-6. Ymddengys mai chwilio'n ofer yn *Enwogion Cymru* Robert Williams (1852) a wnaeth.
20. E. G. Millward, op. cit., 103-110.
21. LlGC 106, 95.
22. 'Whereas English sailors looked for a flag which said 'Service', the Welsh insisted on a "Pregeth"'. Emrys Jones (ed.), *The Welsh in London* (2001), 96.
23. LlGC 106, 124. At Edward Charles, 1 Ebrill 1810. Mae'n ddifyr nodi nad oedd mynegi'r farn hon yn Saesneg yn baradocsaidd i Thomas Jones. Yr oedd yn byw ac yn gweithio ym Mryste. Fel Morrisiaid Môn, byddai gwŷr fel Glan-y-gors ac Edward Charles yn hoff o ysgrifennu at ei gilydd yn Saesneg yn ogystal â Chymraeg.
24. Un o faledi mwyaf poblogaidd Abel Jones, Bardd Crwst, oedd 'Plant Dic Siôn Dafydd. Cerdd Ddigrif am y Cymry Seisnig (Welsh Englishmen)'. Rhoes Tal-

haiarn ei dro arbennig ei hun i'r pwnc yn 'Dammeg: Dic Siôn Dafydd yr Ail'. Ni chafodd ei enaid hedd, meddai Talhaiarn:

> Oblegid d'wedir fod ei ysbryd
> Yn trwblo rhai o feirdd ein gwlad,
> I gablu'r Saeson ar bob enyd,
> A'u galw'n feibion twyll a brâd.

Ailadroddir y llinell 'Pan fydd Dic Shon Dafydd yn isel ei wedd' yn 'Cân Eisteddfod' o waith Taliesin o Eifion. 'Lawr â Dic Siôn Dafydd', meddai Mynyddog. Enillodd englynion Telynog, 'Dic Shon Dafydd' yn Eisteddfod Aberhonddu, 1864. Canodd Jabez Edmund Jenkins (Creidiol) i 'Disgynyddion Dic Shon Dafydd' ar fesur y Tri Thrawiad. Lluniodd Henry Hughes, Bryncir, 'Cân i Frawd Dic Shon Dafydd, sef Robin Siôn Dafydd'. Trafodwyd Dic Siôn Dafyddiaeth gan Michael D. Jones, Emrys ap Iwan, Ben Davies a Daniel Owen mewn rhyddiaith – 'Dic-siônyddiaeth' oedd gair y nofelydd. Canodd Dyfed 'Marwnad Dic Shon Dafydd'. Ysgrifennodd John Tywi Jones ddrama ddychanus *Dic Siôn Dafydd: Richard Jones-Davies, Esquire (*ail argraffiad, 1913) a fu'n boblogaidd yn ne Cymru. Ym mis Mai 1955, darlledwyd rhaglen nodwedd Gwilym T. Hughes, 'Fod Dic Siôn Dafydd wedi cael cam'. Detholiad yn unig yw'r cyfeiriadau hyn.

25. Dywed William Harrison yn goeglyd yn *The Description of Britaine* (1587) fod y Cymry yn olrhain eu hachau yn ôl at Aeneas a Noah 'without anie manner of stop' a dyfynna Juvenal i ddangos oferedd hynny. 'Nothing can be imagined so troublesome as a Welshman possessed with the spirit of genealogy', meddai'r ffug-deithiwr, awdur *A Trip to North Wales* (1700). Mor gynnar â'r ddeuddegfed ganrif, yn ei ddisgrifiad o Gymru, nododd Gerallt Gymro yr ymwybod cyffredinol hwn â hen achau di-dor, ymhlith y werin yn ogystal â'r uchelwyr. Rhybuddiodd Thomas Jones yn *Y Gymraeg yn ei Disgleirdeb* (1688) fod ymfalchïo mewn achau yn ennyn cynnen ymhlith y Cymry a gelyniaeth eraill. Yn fuan wedyn, bu Ellis Wynne yn llym ei ddychan ar y 'llyfreu acheu' a'r 'cart acheu' – yn Stryd Balchder ac yn Uffern y gwelid y bobl a oedd yn arddel y rhain. Gellir awgrymu bod gweddillion yr ymwybod hwn yn gwrthdaro'n ddifrifol yn erbyn y cysyniad poblogaidd o foneddigeiddrwydd yn Lloegr, ac yn rhoi min arbennig ar ddychan ysgrifenwyr a haneswyr Saesneg: 'Gentility was central to the character that emerged in the eighteenth and nineteenth centuries. Without the idea of the English gentleman and lady the idea of the Englishman and Englishwoman would not have been the same'. Paul Langford, *Englishness Identified. Manners and Character 1650-1850* (2000), 318. O gofio'r disgrifiad o ymddygiad Dic Siôn Dafydd, mae'n ddiddorol gweld bod *Geiriadur yr Academi* yn nodi'r defnydd o 'gentility' mewn ystyr ddifrïol ac yn cynnig 'crachfoneddigeiddrwydd, mursendod'.
26. Yr oedd Glan-y-gors yn un o'r rheini a drefnodd ddau berfformiad o *Tri Chryfion Byd* yn Llundain yn 1791 a chymerodd ran ynddynt, gyda Siamas Wynedd.
27. Canodd beirdd diweddarach fel Ieuan Glan Geirionydd ac Alun ar destun 'Yr Hen Amser Gynt', ond yn llawer mwy rhamantaidd.

CASGLIAD O WAITH JAC GLAN-Y-GORS

I

Cerdd Dic Siôn Dafydd

Tôn: Person Paris

Gwrandewch ar hanes Dic Siôn Dafydd,
Mab Hafoty'r Mynydd Mawr,
A'i daid yn d'wedyd bod ei wreiddyn
O hil gethin Albion Gawr.

Ni wyddai Dic fawr am lythrennau,
Na'r modd i ddarllen llyfrau'n llawn;
Yr holl addysg gadd e gartrau
Oedd gwau a chardio a chodi mawn.

Mewn ffeiriau Dic a fedrai swagro,
Gan dynnu amdano'n eitha' dyn;
Gwneuthur siot a bygwth paffio,
Ac yn hwylio i ddawnsio ei hun.

O'r diwedd Dic a ddaeth i Lunden,
A'i drwyn fewn llathen at gynffon llo,

Ar hyd y ffordd a'i bastwn onnen,
Yr oedd e'n gweiddi – 'Hai! Ptrow ho!'

Fe gadd le hefo *haberdasher*,
Ran ei fod yn ddyn dewisol iach,
I fynd i gario amryw geriach,
Creiau neu ryw binnau bach.

Dechreuodd yno fwrw ei henflew,
Cadd sipog las a gwasgod wen,
Ac i wneud ei hun yn gryno,
Dechreuodd hwylio i bowdro ei ben.

Ond toc fe flinodd ar wasanaeth,
Ac a fynnodd helaeth siop ei hun,
Er y gwyddai'r cryddion a'r teilwriaid
Mai mewn dyled 'roedd y dyn.

Dechreuodd wybod am y farchnad,
Ymledu, a siarad, a chadw sŵn,
Nid oedd un dyn mor hardd ei ymddygiad
Mewn *half-boots* a *phantaloon.*

Wedi llyncu polyn ac ymchwyddo,
A'i glustiau'n gryno'n rhwbio'i grys,
A thorch o fwslin am ei wddw,
A chylch o fodrwy am ei fys.

Ar Ddywsul Dic a fyddai'n bennaeth,
Mewn *gig* a geneth gydag e,
Ac yn gweiddi mewn rhyw lediaith,
"Open the gate and clear the way".

Ac wedi gwneud ei hun i fyny,
I wlad Cymru aeth bob cam,
Yn ei gadair yn ergydio,
Yn gweiddi "Holo" wrth Foty ei fam.

Llun a ymddangosodd yn Cymru, *O. M. Edwards.*

Lowri Dafydd dd'wedai ar fyrder,
"Ai 'machgen annwyl i wyt ti?"
"Bachgen – Tim Cymra'g – *hold your bother,*
Mother, you can't speak with me".

A Lowri a ddanfonai'n union
Am y person megis Pab,
A fedrai grap ar iaith y Saeson,
I siarad rhwng y fam a'r mab.

Yna'r person 'n ôl ymbleidio
A'i tarawodd gyda'i ffon,
Nes oedd Dic yn dechrau bloeddio,
"O! iaith fy mam, mi fedraf hon".

Ac wrth yrru yn rhy gynddeiriog,
E daflai ei gadair ryw brynhawn
Ar ei ben powdr i bwll mawnog,
Lle buasai gynt yn codi mawn.

Ar brynhawn, 'roedd Dic yn yfwr,
Ac yn ddondiwr, bloeddiwr blin,
Er na chadd e gartre' ond glasdwr,
Aeth yn ddigynnwr yfwr gwin.

O'r diwedd Dic a aeth gan dynned,
Prin y gallai dd'wedyd "Bw!"
A gofyn iddo byddai ffylied –
"*Mr Davies, how do you do*?"

Aeth i gaboli gyda biliau,
Ac i wneud rai troeau lawer tric,
Mae rhai yn d'wedyd mai o'i anfodd,
Ond Ow! Ow! Fe dorrodd Dic.

A phan ddarfu am ei gynnydd
'Roedd rhai yn dweud ei fod e'n ffôl,

A'r lleill yn gofyn mewn llawenydd,
"Wel, Dic Siôn Dafydd, ddoist ti'n ôl?"

Cymerwch ofal ar bob adeg,
Rhag ofn rhedeg i'r un rhic;
Dyn cymedrol ddeil i fyny –
Cofiwch fel y darfu Dic.

Dic Siôn Dafydd: Ceir y dyddiad 1799 ar daflen yn cynnwys y faled hon. Dywedid mai dyn a chanddo dyddyn yn Llanfihangel Glyn Myfyr oedd y patrwm ar gyfer Dic.

cethin: Mawr iawn, anghyffredin, gwyllt. Ystyron eraill yw ofnadwy, cas, caled, llym, anferth.

Albion Gawr: Yr enw hynafol ar yr hyn a adwaenir heddiw fel Cymru, yr Alban a Lloegr oedd Albion, lle'r oedd mab duw'r môr, Albion Gawr, yn llywodraethu cyn i'r Celtiaid gyrraedd, yn ôl Sieffre o Fynwy.

gartrau: Gartref. Mae'n bosibl fod Glan-y-gors wedi gweld y ffurf ffug hon yng ngwaith y Ficer Prichard a bu'n ddefnyddiol iddo fel odl gyrch ac odl fewnol. Ceir y ffurf gywir yn nes ymlaen yn y gerdd. Gwelir yr un ffurf yn 'Diwedd Dic Siôn Dafydd'.

cardio: Cribo gwlân â chard, math o grib neu frws caled.

swagro: 'Y gair a ddefnyddid yn ardal y Bala oedd 'yswagro pen ffair'.' Trefor M. Owen, 'Caru yn y ffeiriau yn y ganrif ddiwethaf', *Medel*, 2 (1985), 29.

gwneuthur siot: Talu'r siot, talu'r swm dyledus am ddiod mewn tafarn.

A'i drwyn fewn llathen at gynffon llo: Fel gyrrwr y tu ôl i'r gwartheg, yn was cyflogedig i'r porthmon. Yn fynych yr oedd y gyrwyr o ddosbarth cymdeithasol is, ambell un fawr gwell na thramp. Byddai Glan-y-gors yn gwybod hyn, ac y mae'n elfen ystyrlon arall yn y darlun o Dic Siôn Dafydd. Yr oedd Cerrigydrudion yn ganolfan lle pedolid y gwartheg a byddai'r bardd yn gwbl gyfarwydd hefyd â'r gwaith hwn.

Hai! Ptrow ho!: 'The drovers' cry of "Haiptrw Ho!" warned the farmers of the neighbourhood of the approach of the drove, and they hurried to ensure that none of their own cattle were straying about the roads. If they became merged in the herd, there was small hope of their recovery'. P. G. Hughes, *Wales and the Drovers* [1943], 48.

haberdasher: Bu Glan-y-gors ei hun yn gweithio i *haberdasher* yn Llundain.

ceriach: Mân offer a thaclau diwerth, diddefnydd.

creiau: Careiau, carrai. Fe'i defnyddir yn ffigurol i olygu rhywbeth diwerth.

yn gryno: Yn daclus, yn wych. Gall olygu lled gefnog yn ogystal.

sipog: Côt fawr.

hwylio i bowdro ei ben: Yn 1795 dechreuwyd codi treth ar bowdr gwallt, ac o'r herwydd daeth diwedd ar wisgo gwallt gosod wedi'i bowdro. Erbyn dechrau'r bedwaredd ganrif ar bymtheg daethai diwedd ar y ffasiwn o bowdro gwallt naturiol.

pantaloon: Trowsus tyn. Diau fod Glan-y-gors yn gwybod hefyd fod y gair yn cael ei ddefnyddio i olygu'r ffŵl neu'r clown ar lwyfan.

Yn ei gadair: 'Gig', 'chaise'. Cerbyd ysgafn dwy olwyn a dynnir gan geffyl. 'Cader' yw'r ffurf yn y gerdd nesaf.

ergydio: Yn y cyd-destun hwn yr ystyr yw cyrraedd, dyfod neu gyfeirio at.

y person: Mae'n werth nodi bod Jac Glan-y-gors wedi cymryd rhan mewn dau berfformiad o anterliwt Twm o'r Nant, *Tri Chryfion Byd* yn Llundain yn 1791, a bod yr offeiriad yn yr anterliwt honno yn siarad Saesneg â'i fam, Lowri arall. Soniwyd yn y rhagymadrodd am ddychan tebyg gan yr anterliwtiwr ar y Cymry Seisnig.

Ar ei ben powdr i bwll mawn: Fel hyn y disgrifir torri mawn a'r pyllau mawnog gan Hugh Evans:

> Torrid y mawn yn sgwâr fel brics, a thorrai'r haearn ddwy ochr ar unwaith. Dechreuid yn un pen, ac ar ôl torri'r fawnen gyntaf ar ddwywaith, eid ymlaen ar hyd y rhes gan daflu'r mawn i'r lan gyda'r haearn. Gweithid y pyllau yn stepiau fel y gweithir Chwarel y Penrhyn, a lle'r oedd digonedd o fawndir yr oedd rhai ohonynt yn bur ddwfn. Syrthiodd aml un iddynt, fel Dic Siôn Dafydd.
>
> Hugh Evans, *Cwm Eithin* (1933), 105.

dondiwr: Dwrdiwr, bygythiwr.

digynnwr: Ymddengys mai *di-* y rhagddodiad cadarnhaol a chryfhaol sydd yma + *cynnwr(f)*. Aeth Dic yn yfwr gwin afreolus, cynhenllyd, wedi gorfod yfed dim ond glasdwr gynt. Dyry *Geiriadur Prifysgol Cymru* 'terfysgwr' fel un o ystyron ffigurol 'cynnwr'.

fe dorrodd Dic: Torri ar y wlad, mynd i'r wal, mynd yn fethdalwr.

rhic: Marc; dod i'r un [r]hic – 'come to the same mark, come to the same thing'.

II

Diwedd Dic Siôn Dafydd

Tôn: Breuddwyd y Frenhines

Gwrandawed pob Cymro ar fy hanes i heno,
Geill naddo i chwi daro wrth le dyrus;
I Lundain, o Gymru, y dois i was'naethu,
A ches fy nyrchafu'n dra chofus.
Fy enw beunydd, medd y prydydd,
Ydyw'r diofal Ddic Siôn Dafydd,
'E wyddoch chwi bu sôn a si
Yn amryw fannau amdanaf fi.
Ymgodi a wnes i gader
A mynd trwy Gymru a Lloeger,
I ddangos fy ngwasgwychder;
Wrth ddilyn balchder byd,
Mi eis yn haen heb brisio draen,
Ymledu a rhoi'r troed gorau 'mlaen;
Ym mhob cymanfa y fi oedd y balcha',
Yn gwneud heb gochi y golwg ucha';
Er hyn deuai arna'i ddyrnod,
Am golli iawn ddynabod
Arna'i fy hun yn hynod,
Mi eis i drallod drud.

Yng Nghymru wrth hir rodio a 'mdrochi yn y Bermo,
Dechreuais fyfyrio uwchben fy arian,
A'r rheiny'n diflannu wrth imi hir daenu,
'Rwy'n cofio im eu bachu i le bychan;
Dechreuais frolio, os gwnâi rhai wrando,
Am rai cannoedd amser cinio,
A sôn mal cawr yn wych ei wawr,

Am fy nghymeriad efo gwŷr mawr;
Rhag ofn deuai dirfawr derfyn,
At Lundain trois i yn sydyn,
Heb ddim ond tri darn melyn
Wrth gychwyn, dyna'r gwir;
Rhag ofn gwneud sylw 'mod i cyn saled,
Mi wneis ymddygiad mwy boneddiged,
Sef mynd yn gynta'
At y rhai gwiriona',
Er fy nghyfoethoced i ailfenthyca,
A gwneud iaith arw a thaeru
Am fargen ges i yng Nghymru,
Rhai miloedd wedi eu malu
Wrth dalu am glamp o dir.

I ddweud ar fyr siarad fel y bu'r canlyniad,
Mi drewais wrth gariad rhagorol,
A hon oedd un heini – seren Cranbwrn Ali,
A blodau'r lodesi dewisol –
Maria Julia Angelina,
Am fesur lasia' oedd hwylusa'
A'r aur yn gylchau yn ei chartrau,
Heb ddim yn cadw yn ei phocedau;
A minnau'n meddwl mynnu
Ei golud yn ddigelu,
A siop i ailsefydlu, a rhan o'i gwely gwych;
Gwedi iddi gofio fod gen i eiddo,
A Nain ac Ewyth' wedi eu gaddo,
Ac 'roedd hithau i'm twyllo innau,
Yn ddau cystal ym mhob castiau;
Hel ei biliau a phob cybolfa,
A sôn am ei chynildra
Oedd ei gorchwyl hi ran amla',
Ac 'mdrimio o flaen y drych.

Ar ôl priodi daeth ata' i ryw gyfri',
Heb allu er fy siomi mo'r symud,

A disgwyl 'roedd hithau fod arian gen innau,
I dalu am rubanau'n ddibenyd;
Cyn pen y ddeuddydd 'roedd arnom gywilydd,
Rai dall a gwael am dwyllo'n gilydd,
A phawb yn dondio am gael eu heiddo,
Heb dderbyn esgus mewn un osgo,
A hwylio, chwilio, a chwalu,
Mewn gwarth, pob peth i'w gwerthu,
Cyn inni gael sefydlu i g'nesu ein nyth,
Hithau, druan bach, yn y borau,
Heb ddim amdani ond hen bais denau,
Ond 'roedd ganddi gariad hylltod,
Wrth bwyso am gusan ar ddannedd gosod;
Fy ngwraig hynod yw hi er hynny,
Rhaid imi bellach dewi,
Ni wiw i dylawd ymledu,
Ni ddown *ni* i fyny fyth.

I Lundain, o Gymru, y dois i was'naethu: Erbyn ysgrifennu'r gerdd hon, tua 1799/1800, yr oedd Jac Glan-y-gors yn gwasanaethu i Rock & Shute, yn Ivy Lane, Paternoster Row, Llundain, gwerthwyr sidan a defnyddiau drud eraill. Yn 1818 symudodd i gadw tafarn y King's Head, Ludgate Hill, ardal adnabyddus am ei sidanwyr. Wedi ei farw ailenwyd y King's Head ar ôl Daniel Lambert (1770-1809), dyn o Gaerlŷr a oedd yn enwog am ei dewrdra. Symudodd i Lundain i'w arddangos ei hun a phan fu farw yr oedd yn pwyso dros hanner can stôn. Pan oedd Talhaiarn yn arwain Ned a Bob o gwmpas Eglwys Gadeiriol St. Paul aeth â hwy i'r dafarn gyfagos i dalu gwrogaeth i Jac Glan-y-gors:

> I'r Daniel Lambert, o ddeutu can' llath oddiyma, hên dy Jack Glan-y-gors, yn mhen uchaf Ludgate Hill . . . Dyma lle bu Glan-y-gors byw – y bardd ffraethaf a digrifaf yn ei oes. Dyma lle byddai Doctor Pughe, Robert Davies o Nantglyn, John Humphreys Parry, Bardd Du Môn, Owain Myfyr, Llwynrhudol, ac eraill o enwogion Cymru yn difyru eu hunain.
>
> *Gwaith Talhaiarn*, I (1855), 219.

Geill naddo: Gall eich arbed, eich achub rhag mynd i drafferth.
gwasgwychder: Ymffrost, rhodres.
gwiriona': Gall olygu diniwed, syml, yn ogystal â ffôl, penwan, hurt.
lasia': Lasiau. Meinwe o edau lin, cotwm neu sidan; 'ornamental lace'.
Mi eis yn haen: Euthum yn haint, yn bla (i bawb).

heb brisio draen: Heb falio dim.

dynabod: Daw'r ffurf hon o 'adnabod' trwy drawsosodiad.

'mdrochi yn y Bermo: Datblygodd Abermo yn lle poblogaidd i ymdrochi yn ystod y ddeunawfed ganrif. Yr oedd yno draeth tywod da a bu gwella'r ffordd o Ddolgellau a chreu gwell gwasanaethau post a choets yn foddion i ddenu llaweroedd o ganolbarth Lloegr i ymarfer y ffasiwn newydd o ymdrochi yn y môr. Erbyn diwedd y ganrif gallai un o'r ymwelwyr ddweud: 'The town stands on the sea shore, and in season is full of company, who resort thither for the purpose of bathing'. Gw. Lewis William Lloyd, *The Town and Port of Barmouth* (*1565-1973*) [1974], 24.

Cranbwrn Ali: Codwyd Cranbourn Alley ar dir a brynwyd yn 1609 gan Robert Cecil, Iarll Salisbury ac Is-iarll Cranbourn. Stryd gul oedd hi rhwng Cranbourn Street a Bear Street, ar bwys Leicester Square, yn ardal WC2 heddiw. Yng nghyfnod Glan-y-gors nid oedd ond rhyw chwe throedfedd o led. Yn yr alai hon y daeth Jane Austen (1775-1817) o hyd i siop *haberdasher* ar un o'i hymweliadau â Llundain. Dywedodd wrth ei chwaer, Cassandra, ym mis Mawrth 1814: 'A great many pretty Caps in the Windows of Cranbourn Alley! – I hope when you come we shall both be tempted. – I have been ruining myself in black sattin ribbon with a proper perl edge; & now I am trying to draw it up into kind of Roses instead of putting it in plain double plaits.' Deirdre Le Faye (ed.), *Jane Austen's Letters* (1997), 260. Yr oedd Maria Julia Angelina, seren yr alai, yn un dda 'am fesur lasia" A oedd hi'n gweithio yn y siop hon? Y mae'r enw a luniodd y prydydd ar gyfer cariad Dic yn ddiddorol yng ngoleuni'r disgrifiad a gafwyd yn *The Female Tatler* yn gynharach yn y ganrif o'r merched a weithiai yn y siopau ffasiynol hyn: 'They are the sweetest, fairest, nicest, dished-out creatures; and by their elegant address and soft speeches you would guess them to be Italian.' Dyfynnwyd yn Rosamond Bayne-Powell, *Eighteenth-Century London Life* (1937), 114.

hylltod: Llawer iawn.

dondio: Dwrdio, dweud y drefn, tafodi, bygwth.

borau: Bore. Digwydd borau/boreu mor gynnar â'r bedwaredd ganrif ar ddeg. Fe'i lluniwyd o gamdybio mai ffurf dafodieithol oedd bore; cym. godreu (godre); camrau (camre). Gw. yn nes ymlaen yn 'Y Ffordd i Fyned yn Ŵr Bonheddig yn Llundain', Rhif V.

III

Parri Bach

Cân Newydd, neu ychydig o hanes am Parri Bach,
cefnder i Dic Siôn Dafydd

Fe glywodd pob dyn drwy'r gwledydd
Am Dic Siôn Dafydd a'i dwyll,
Wel, bellach, clywch hanes am gefnder,
Sy'n byw mewn balchder di-bwyll;
Bu gynt yn o waredd anwrol,
Yn dinslip ryfeddol ei fodd,
Yn llusgo hen glocs tinagored,
Mewn bywyd anynad ei nodd.
Fal, fal, &c.

Ymlusgodd hyd Forfa Rhuddlan,
Yn hynod o'r gwantan gynt,
A rhai oedd yn taeru gan hyfed
Mai fe oedd yn gweled y gwynt;
'Roedd rhai yn ei alw fe'n "Rholyn",
A rhai'n gweiddi "Gwrychyn Gwrach";
Yn awr y cadd enw lled ddigri',
A hynny yn "Barri Bach".
Fal, fal, &c.

Mae'n awr 'r ôl dyfod i lawnder,
Yn debyg i'w gefnder Dic,
Wrth ymdrin â'i holl gymdogion,
Mae'n dangos troeon bob tric;
Mae'n byw mewn dau dŷ gŵr bonheddig,
Fu hynod, nodedig, a da;

Yn awr y mae'n llawn o bob afiaith,
  Crintach, a blinach bla.
        Fal, fal, &c.

Mae'n resyn i'r dyn newid anian
  Lle gynt ydoedd lydan lwys,
Yn lle ysgafnhau ar rai llegach,
  Mae'n awr yn debycach i bwys;
Gwnaed ynddo fe amryw elusen,
Ond wele fe, rŵan ar ôl,
Yn lle bod yn dŷ elusenni,
  Ei enw 'dyw Hungary Hall.
        Fal, fal, &c.

A thrwy fod y gŵr yn un gerwin,
  Mae drycin yn y dre',
Gwnaeth dro efo un o'i gymdogion
  Sy'n dangos ei foddion fe;
Fe brynodd hwnnw lawer
  O'i enwog bywer byd,
Ac yntau yn addo iddo dalu,
  Ar ôl iddo'u gwerthu nhw i gyd.
        Fal, fal, &c.

Ar ôl cael ymadael â'r eiddo,
  Dechreuodd ymwthio'n ŵr mawr,
A mynnu cael arian mewn munud,
  Heb aros un ennyd awr;
Fe fynnodd eu cael trwy'r gyfraith,
  Mae'n g'wilydd y gwaith mewn gwir,
Rhoes hynod drafferth gethin,
  Ar dyddyn bychan o dir.
        Fal, fal, &c.

Ymgroesed pawb drwy'r gwledydd,
  Rhag hwn sy'n aflonydd ddi-les,
'Caiff undyn gan hwn fawr gysur,

Mae'n hynod o brysur am bres;
Os ewch i'w ffau, 'rwy'n coelio,
Bydd anodd neidio'n ôl;
Rhagddo fe, cofiwch ymgroesi,
Ei enw 'dyw Hungary Hall.
Fal, fal, &c.

Fe neidiodd ymhen rhyw wreigan,
On'd gwantan oedd y gwaith?
A'i gŵr oddi cartre'n rhywle,
Modd dethe, ar ei daith;
Cadd hon gyda'i phlant ei throi allan,
Gan Barri Bwlan Baw,
Ond hanes y gŵr ddaw allan,
Yn llydan iawn rhagllaw.
Fal, fal, &c.

gwaredd: Dichon mai ufudd-dod yw ystyr gwaredd yn y fan hon, yn hytrach nag addfwynder.
tinslip: Cywilyddgar, penisel, wedi torri ei grib.
anynad: Blin, anfoddog, cecrus.
di-bwyll: Afresymol neu anneallus.
gwantan: Gwamal, anniwair.
gan hyfed: Mor hy.
crintach: Cybyddlyd.
Hungary Hall: Sef 'Hungry Hall', yn ôl pob tebyg.
pywer: Ymddengys mai eiddo gwerthfawr yw ystyr 'pywer' yma.
cethin: Cas, caled, llym, ofnadwy.
dethe: Dethau, deheuig, medrus.
bwlan: Cod neu lestr i ddal grawn ŷd a gwlân. Yma, yn ffigurol, pwtyn byrdew.

IV

Bessi o Lansantffraid

Dywedodd yr hen frenin Salmon
O flaen y rhai gwychion i gyd,
Fod amser i bob rhyw amcanion,
Arferion dibenion y byd;
Mae amser gan rai i ragrithio,
I swnio a rhuo heb fod rhaid,
Ac amser i fesur neu bwyso
Cerdd Bessi o Lansantffraid.
O! ra ti ti, &c.

Yr oedd Bessi yn edrych yn wastad
Am gariad a'i llygad yn llon,
A llawer o lanciau yn blysio
Ac yn ceisio cael cusan gan hon;
Yr oedd Huwcyn Wmffre y clocsiwr,
A Tomos y dyrnwr yn daer,

'Milk seller in Cavendish Square', engrafiad o waith yr arlunydd William Marshall Craig (1804). Atgynhyrchwyd gyda chaniatâd Llyfrgell y Guildhall, Llundain.

A llencyn bon'ddigaidd o deiliwr,
  A siopwr, a Robin y saer.
        O! ra ti ti, &c.

Er hynny 'roedd Bessi'n benuchel,
  Hi ddarfu eu gadael hwy i gyd,
Gan fynd yn galonnog i Lundain,
  I ddangos ei glendid i'r byd,
Cadd le gyda godrwr gwartheg,
  Lle bu ddwy fer adeg am dro,
Y peth cyntaf a ddysgodd hi o Saesneg –
  "*Do you want any milk below*?"
        O! ra ti ti, &c.

'Roedd cefnder i Dic Siôn Dafydd
  Ar gynnydd yn gwerthu gwin,
Pan welodd e Fessi efo'i chunnog,
  Yr oedd ef yn chwennych ei thrin;
A hithau am ŵr bonheddig,
  Gwnaeth olwg nodedig i'r dyn,
Cytunodd i fynd ato'n forwyn,
  Pawb wrth ei fwriad ei hun.
        O! ra ti ti, &c.

Os morwyn oedd hi'n myned yno,
  Rhaid i ni gael gwyro at y gwir,
Hi gollodd – mae'n resyn dal sylw –
  Yr enw cyn pen bo hir;
Dechreuodd wisgo sidanau,
  Perwigau a phob lliwiau i'w gwellhau,
Pe gwelsech chwi aur wrth ei chopa,
  Yn chwipio mewn cadair a dau.
        O! ra ti ti, &c.

Mewn chwaraedy 'roedd Bessi yn y *boxes*,
  Er bod yn ei bacsau gynt,
A'i golwg yn ddisglair eglur,

A'i gwisg yn arogli y gwynt;
Yr oedd yr arglwyddi mawrion,
Rai gloywon, a'u *opera glass*,
Yn ynfytach pan welsent hwy Fessi,
"*What a heavenly, lovely lass*!"
O! ra ti ti, &c.

Ond toc hi gychwynnodd i Gymru,
Wedi denu arian y dyn,
Oherwydd fod arni gymyrraeth
O hiraeth am ddangos ei hun;
Hi wisgai bob rhyw dlysau,
Teganau, o raddau di-ri',
Fu erioed ar balmant y 'Mwythig
Un ferch mor fonheddig â hi!
O! ra ti ti, &c.

'Roedd rhai oddeutu ei chartre'
Yn lluchio coeg eiriau lled gas,
Gan wawdio'n grefyddol o wenwyn –
Mae hon heb ddim gronyn o ras;
Yr oedd un yn ei galw hi'n "Gadi",
A'r llall yn dweud "Hon ydi Bess?"
"*But gentleman, I am a lady,*
Pray look at my curricle dress!"
O! ra ti ti, &c.

"Mae hon yn rhy falch", meddai'r bobl,
"Ac yn uchel ryfeddol o fawr",
A'i hen gariadau'n ewyllysgar,
Yn chwennych ei llusgo hi 'lawr;
"Wyt ti'n cofio caru'n y gwely,
Cusanu mor fwyngu efo mi?"
"*Oh! shame on the booby penmynydd,*
"Are these your manners to me?"
O! ra ti ti, &c.

Ar ôl blino rhodio o gwmpas,
Hi aeth ar dro addas i'r dre',
Yn hyn dyma'i chariad hi'n torri,
Peth digon naturiol, on'te?
Pan ddelo tylodi a charchar,
Mae cariad yn siomgar, ni sai,
'Rwy'n meddwl, os bernwch chi'n gywrain,
Fod hynny ar gariad yn fai.
O! Ra ti ti, &c.

Ond Bessi aeth eilwaith i Gymru,
I synnu'r hen Fodlen a Siân,
'Roedd crio ac wylo wrth ei gweled,
A'i dillad cyn ddued â'r frân,
Gan ddweud fod y gŵr wedi marw,
Wedi newid ei henw efo'i hoed,
Oes arnoch chwi eisiau gwraig weddw,
A heb fod yn briod erioed?
O! ra ti ti, &c.

Llansantffraid: Llansanffraid. Cedwir ffurf yr enw lle fel y'i ceir gan y prydydd.

Salmon: Solomon. Cyfeirir yma at Lyfr y Pregethwr, Pennod 3. 'Y mae tymor i bob peth, ac amser i bob gorchwyl dan y nef.'

Huwcyn Wmffre y clocsiwr: 'Clywsoch sôn am Wmffrey'r clocsiwr', meddir ar ddechrau baled gan ryw 'D. Evans'. Ai at glocsiwr Jac Glan-y-gors y cyfeirir? Yn sicr, y mae'r faled ddychanus hon yn dilyn yng nghamre Jac. Dyma'r disgrifiad o'r gerdd: 'Cân newydd ar ddull Interlude, neu Ddigrifwch, yn rhoddi hanes fer o garwriaeth a phriodas Wmffrey Robert, y clocsiwr, a Shuan Rasmus, y ffortiwnteler, y rhai a aned ill dau ym mhlwyf Pantybygen, yn sir Trachwant Arian, ac a aethant i fyw i Gastell y Ffwlbert yn ochr Mynydd y Llwydrew'.

Pan welodd e Fessi efo'i chunnog: Yr oedd y llestr pren at odro, y gunnog, yn un o ddelweddau serch y bywyd gweldig. Gwyddai Syr Rhys y Geiriau Duon hynny yn anterliwt Twm o'r Nant, *Pedair Colofn Gwladwriaeth*:

Ffalster, anlladrwydd llidiog,
Ydyw godro heibio'r gunnog; . . .

Un o gyfeillion Syr Tom Tell Truth yn anterliwt Twm *Tri Chryfion Byd* oedd 'Gaenor o Dafarn y Gunnog'. Ceir yr un cyfeiriad yng ngherdd Edward Charles 'Molawd Beti Glan yr Afon':

Hwyr a borau awn i'w sbio
Pan fai'n cario'r gunnog odro.

Dywed James Reeves fod modd olrhain y defnydd o'r gunnog a llaeth fel symbolau rhywiol yn ôl i draddodiad llafar yr ail ganrif ar bymtheg neu hyd yn oed yn gynharach. Gw. 'Three Maids a Milking' yn James Reeves, *The Idiom of the People* (1958), 208-9. Yn hyn o beth y mae cerdd Glan-y-gors i'w rhestru gydag amryw o faledi Saesneg cyffelyb am y llaethferch gariadus. Gw., er enghraifft, 'To Milk in the Valley Below' yn Frederick Woods (ed.), *The Oxford Book of English Traditional Verse* (1983), 87.

Yr oedd Bessi yn un o lawer o ferched Cymru a werthai laeth ar strydoedd Llundain. Yn gynnar yn y bedwaredd ganrif ar bymtheg, anaml y gwelid dyn llaeth; sonnir am 'the ubiquitous milkmaid' a'r mwyafrif o'r rhain yn Gymryesau. Ar bwysigrwydd y farchnad laeth yn Llundain a chyfraniad sylweddol y Cymry, yn wŷr ac yn wragedd, gw. Emrys Jones (ed.), *The Welsh in London* (2000), 101-9.

cadair a dau: Cerbyd mwy na'r 'gig', a dynnir gan ddau geffyl.

boxes: Mae'n amlwg fod Bessi'n ymhonni'n un o'r 'light girls', y puteiniaid 'dewisol' a welodd Sophie von la Roche mewn bocs yn Sadlers Wells:

> 'The box next to ours was occupied by eight so-called light girls, all with fine blooming figures, well dressed and true to their name, the most obvious gaiety in their eyes and faces. Not one of them looked older than twenty, . . .'
>
> Sophie von la Roche, *Sophie in London 1786*,
> ed. Clare Williams (1933), 133.

Yn y ddeunawfed ganrif yr oedd y bocsys – y lleoedd drutaf – yn y theatrau yn dra phoblogaidd fel lleoedd y gallai'r merched hyn, y *beaux* a'u gwragedd a'u cariadon, eu dangos eu hunain ynddynt. Yn fynych iawn, nid oedd ganddynt ddim diddordeb yn y ddrama neu'r opera. Cymdeithasu, clebran a dangos eu dillad gorwych yn y bocs ac yn y lobi y tu ôl i'r bocs oedd amcan yr ymweliad.

bacsau: Coes hosan neu hosan a gwadn y droed wedi ei dorri ymaith oedd bacsen.

teganau: Pethau bach ffasiynol, cain. 'A pretty thing, a jewel', meddai William Owen Pughe yn ei eiriadur.

cymyrraeth: Cymyrredd[u], berf yn golygu honni, rhyfygu. Yma, fel enw, rhyfyg, balchder, mursendod.

Cadi: Ffurf anwes ar yr enw personol Catrin.

curricle dress: Gwisg laes, rwyllog, agored ei gwead, a wisgid ar ben ffrog hir.

sai: Saif.

V

Y Ffordd i Fyned yn Ŵr Bonheddig yn Llundain

Tôn: Poor Jack

Pwy bynnag sydd â'i fryd
  Ar fynd yn ŵr bonheddig,
Ond i chwi drin y byd,
  Chwi ewch ymhen ychydig;
Na phrisiwch byth mo'r draen
  O glywed neb yn achwyn,
Rhowch y droed orau 'mlaen,
  Neu peidiwch byth â chychwyn.
      Ffal di ral, &c.

Os arian ar ryw ddydd
  Fydd arnoch idd eu talu,
Na fyddwch byth yn brudd,
  Ynfydrwydd yw gofalu;
Ac os bydd ambell rai
  Yn chwennych mynd yn hyfion,
Nid arnoch chwi mae'r bai,
  Gwnewch olwg eithaf gwirion.
      Ffal di ral, &c.

Os bydd rhyw ddyn tra ffôl
  Ac arno beth i chwithau,
Canlynwch ar ei ôl
  I'w ceisio hwyr a borau;
A thyngwch wrtho fe,
  Gan ffustio'r bwrdd â'ch dyrnau,
"*Hang me, if you will not pay,*
  I'll speak with my attorney".
      Ffal di ral,&c.

Ymdrwsiwch bob prynhawn,
   'Run fath â phob coegladron,
'Rhain sydd yn aml iawn
   Yn gwisgo dillad duon;
Os holi ddaw gerbron,
   Neu rywrai yn dal sylw,
D'wedwch, "F'ewythr Gruffydd John,
   Ysgweier, sy wedi marw".
            Ffal di ral, &c.

Ymfroliwch hanner awr
   Eich bod yn bwyta'ch cinio
Lle 'roedd rhyw helynt mawr,
   A'r seigiau bron â'ch sigo;
"*How glorious I have dined*
   With the Lord of our Shire,
I've swallowed so much wine
   Till my brains are all on fire".
            Ffal di ral, &c.

Ow! cofiwch chwarae'r pranc
   O ymledu ac ymchwyddo,
A soniwch am y banc,
   A phrynu a gwerthu eiddo;
"*I'm up to all the Jews,*
   Which might be all surprising,
O what a glorious news!
   I see the stocks are rising ".
            Ffal di ral,&c.

A chofiwch er mawrhad
   Ymsiarad rai amserau,
Am eich tŷ sydd yn y wlad,
   Eich gwartheg a'ch ceffylau;
Your cellars full of wine,
   Your rooms you neatly furnish,

Your girls are so divine,
Hang me if you don't flourish.
Ffal di ral, &c.

Os holir ambell dro
O ba wlad y daethoch allan,
O, byddwch ddrwg eich co',
"Mi ddeuthum yma'n fychan";
"*My father's humble cot*
Is in the country altogether,
His language I forgot
Before I learned another".
Ffal di ral, &c.

Os ewch chwi'n fyr o wynt,
Bydd dirion i chwi dorri,
Rhowch ddeunaw yn y bunt,
A chenwch "Hòb y Deri";
Os ewch i din y sach
Cyn mynd i grafanc angau,
Ni bydd ond colled bach,
A chwithau heb ddim yn dechrau.
Ffal di ral, &c.

Os ewch ryw bryd mor dost
A gorfod gadaw Llunden,
Rhag crogi'ch corff wrth bost,
Dewch adre'n ôl drachefen;
Cewch groesaw gan eich mam,
Mewn bwth ym min y mynydd,
A chwarae'r hen dôn gam
Bob dydd â Dic Siôn Dafydd.
Ffal di ral, &c.

Cynhwyswyd y gerdd hon yn *Y Llinos* (1827), un o flodeugerddi Brychan (John Davies, 1784?-1864), a ddywedodd: 'Y Gân ddifyrus a ganlyn a ysgrifened genyf o enau gwr dall, yr hwn a ddywedai wrthyf, mai cyfansoddiad y diweddar enwog Fardd, J. JONES, Glan-y-gors ydyw; . . .' (t.57).

idd eu talu: I'w talu. Enw lluosog yw 'arian'.
gwirion: Yma, diniwed.
coegladron: Chwiwladron, 'petty thieves'.
I'm up to all the Jews: Erbyn cyfnod Jac Glan-y-gors yn Llundain yr oedd Iddewon fel Nathan Meyer Rothschild yn ymsefydlu'n gryf fel broceriaid ariannol, rhai ohonynt, fel Aaron Goldsmid, wedi dod i Lundain o Amsterdam. Yr oedd dau fab Goldsmid yn froceriaid o bwys yn ail hanner y ddeunawfed ganrif yn y ddinas. Bu'r rhain, Iddewon y ddinas, yn fawr eu dylanwad ar dwf Llundain fel canolfan ariannol bwysicaf y byd, er nad oedd rhagfarn yn eu herbyn wedi llwyr ddiflannu. Ond efallai fod Jac yn cyfeirio yma at garfan is, y benthycwyr arian, a allai fod yn ddidostur at eu dyledwyr.
Rhowch ddeunaw yn y bunt: Wedi torri, wedi mynd yn fethdalwr, talwch ddeunaw ceiniog yn y bunt i'ch credydwyr.
Hòb y Deri: Yr alaw werin boblogaidd 'Hòb y Deri Dando'. Yn neau Cymru yr oedd galw rhywun yn 'hen hòb y deri' yn golygu ei fod yn anwadal, yn ddiwerth.
Os ewch i din y sach: Ymadrodd arall am dorri ar y wlad. Yng Ngheredigion y mae 'mynd i din y cwd' yn gyfystyr â dweud bod rhywun mewn trafferthion ariannol, wedi mynd i'r wal.
Heb ddim yn dechrau: Heb ddim yn y dechrau; cf. yn tân, yn tŷ.
gadaw: Gadael.
bwth: Caban, cwt. Benthyciad o'r Saesneg 'booth'.

VI

Cerdd Miss Morgans Fawr o Blas-y-coed

Tôn: Poor Jack

Yr oedd Miss Morgans Fawr
   Yn byw ym Mhlas-y-coed,
Hi ddihangodd rywsut heb un gŵr
   Yn bump a thrigain oed;
Am ei thir a'i thai, 'roedd amryw rai
   Yn fawr eu hawydd am ei heiddo,
Pe buasai modd i'w cael,
   A hithau yn ei hamdo.
         Whack fal, &c.

'Roedd ganddi farf fodrwyog,
   A chryfder yn ei llais,
Ni wyddai neb mai merch oedd hon,
   Ond wrth ei chap a'i phais;
Am ei thir a'i thai 'roedd amryw rai
   Yn fawr eu hawydd am ei heiddo,
Pe buasai modd i'w cael
   A hithau yn ei hamdo.
         Whack fal, &c.

'Roedd ganddi darw penwyn,
   A gwartheg lawer iawn,
A defaid ar y Mynydd Mawr,
   A phedair tas o fawn;
Am ei thir a'i thai 'roedd amryw rai
   Yn fawr eu hawydd am ei heiddo,
Pe buasai modd i'w cael
   A hithau yn ei hamdo.
         Whack fal, &c.

'Roedd ganddi 'mysg y gweision
  Un Sionyn, lencyn ffraeth,
Fe fyddai'n helpu'r merched mwyn
  I gorddi a hidlo'r llaeth;
'Roedd Siôn o lun yn eithaf dyn,
  Ac wedi tyfu'n llencyn lysti,
A chanddo fe 'roedd hynod ffordd
  I yrru'r ordd i gorddi.
        Whack fal, &c.

'Roedd Siôn ryw foreu'n corddi,
  A'r fuddai bron yn llawn,
Fe ddaeth Miss Morgans heibio,
  "Wel, dyma gorddwr iawn";
'Roedd Siôn yn ei grys yn codi blys
  Yn fwyn, ac wrth yr ordd yn corddi,
  Ond gwagedd oedd nacáu,
Fe ddaru i'r ddau briodi.
        Whack fal, &c.

'Roedd Siôn ar ôl priodi
  Yn corddi fel y cawr,
Nes daeth yr angau'n ddistaw bach
  I nôl Miss Morgans Fawr;
Cadd Siôn yn wir y tai a'r tir,
  Ac ailbriododd Cadi Dafydd,
A chorddi fyth o hyd mae Siôn,
  Ac yn ei fuddai newydd.
        Whack fal, &c.

Wel, dyma i chwi rybuddion,
  Holl feibion Cymru i gyd,
Gwnewch gorddi fel gwnaeth Sionyn,
  Cewch gariad, gwn, ryw bryd;
Chwi gewch yn glir beth tai a thir,
  Ac ail wraig gewch ar gynnydd,

Cewch gorddi ganol nos yn llon,
Fel Siôn a Chadi Dafydd.
Whack fal, &c.

Mewn rhai copïau 'The Bold Dragoon' yw'r dôn a nodir. 'Mesur Gwyddelig' a geir gan Garneddog, *Gwaith Glan y Gors*, 63. Yn ôl a ddywedodd Glan-y-gors ei hun, ysgrifennwyd y gerdd hon yn Llundain ar 12 Awst 1811. Y tri phennill cyntaf yn unig a gynhwyswyd gan Garneddog. Mae'n amlwg, felly, iddo ddeall y *lingua franca* yng ngweddill y gerdd. Dywed William Hobley, hanesydd Methodistiaeth Arfon, fod 'pobl gryfion yr ardaloedd hyn' yn cael bri mawr yn y ddeunawfed ganrif, yn wŷr ac yn wragedd. Yr enwocaf o'r gwragedd hyn oedd Marged ach Ifan. Soniodd Hobley hefyd am un arall, Catrin Tomos, Cadi'r Cwm Glas: 'Berr, ysgwyddog ydoedd, a barf go drwchus ar ei hwyneb. Byddai ei llais yn diaspedain yng nghreigiau'r Cwmglas wrth annos y defaid, . . .' William Hobley, *Hanes Methodistiaeth Arfon*, IV (1921), 21. Gw. hefyd *Cymru*, XXXIII (1907), 113-4. Tybed a adwaenai Glan-y-gors hon neu ryw ferch gyffelyb?

Whack fal, &c: 'Ffol lal-lal-di-ral-di, &c' yw'r byrdwn a geir yn y copi a gododd Carneddog.

hynod ffordd i yrru'r ordd: Am y fuddai gnoc y sonnir yma. Dengys disgrifiad Hugh Evans o'r fuddai gnoc ei haddaster fel trosiad yn *lingua franca*'r cerddi serch:

> Nid oedd y fuddai gnoc ond tebyg i ddoli twb, ond yn ddyfnach ac yn culhau at y top, lle'r oedd caead a thwll. Yna gordd, ei phen o gylch ac edyn, a choes hir yn dyfod trwy'r twll yn y caead, a thynnid hwnnw i fyny ac i lawr – gwaith digon caled.
>
> Hugh Evans, op. cit., 131.

VII

Cerdd Gwenno Bach

Tôn: Mentra Gwen, yr hen ffordd

Llythyrau Mr. Edw. Jones, pregethwr Cymreig y Methodistiaid, yn Llundain, gŵr gweddw tair a thrigain oed! at ei gariad Miss Gwen Prydderch, merch ieuanc wyth ar hugain, ynghyd â hanes byr o'r trial, &c.

Mae gen i ganiad gryno, i Wenno bach, Gwenno bach
Neu annwyl, annwyl Wenno, Gwenno bach
Gweithiwr y pregethe,
A chodlwr amryw chwedle,
Roes heibio'r ysgrythyre, Gwenno bach, Gwenno bach
Er mwyn cusanu boche Gwenno bach

E dd'wede ar ôl pregethu Gwenno, &c
'Mae arna' i flys dy garu, Gwenno, &c
Ac er fy mod i'n sawdwr,
Neu filain hen ryfelwr,
Gwrol wyf o garwr, Gwenno, &c
Mae yndda i eto *bowdwr*! Gwenno, &c

'Roedd yr hen fechgyn duwiol, Gwenno, &c
Yn dilyn chwantau cnawdol, Gwenno, &c
'Roedd Dafydd yn un hynod,
A Solomon rwi'n gwybod,
A Lot pan gadd e ddiod, Gwenno, &c
Hwy fedrent drin genethod, Gwenno, &c

Mi fu'r hen Jacob addfwyn Gwenno, &c
Yn gorwedd gyda'i forwyn, Gwenno, &c
A pham na allwn inne,
Gydorwedd gyda'chdithe,

Wrth arfer yr hen deidie, Gwenno, &c
A chanlyn yr ysgrythyre'. Gwenno, &c

Yng nghanol hyn o garu Gwenno, &c
E aeth i ffwrdd i Gymru, Gwenno, &c
Oddi yno y daeth llythyre
Yn llawn o bob trachwante,
I ddweud ei fod mewn clwyfe, Gwenno, &c
O eisie ei fod ym mreichie, Gwenno, &c

'Fi sy ymron gwallgofi Gwenno, &c
O eisie cael priodi, Gwenno, &c
Y fi sy'n llawn o gariad,
A meddwl y bydda' i'n wastad
Am chwerthin yn dy lygad, Gwenno, &c
'Rwy'n cofio cusan Barnad! Gwenno, &c

Mae hwnnw ar fy ngwefle, Gwenno, &c
Fal mêl sydd yn y dilie, Gwenno, &c
O! mwynedd fydd y munud
Pan welwyf fi f'anwylyd,
Mae gen i bregeth hyfryd, Gwenno, &c
Pan gaf i fynd i bulpud'!!! Gwenno, &c

Yng nghanol hyn o dwrw Gwenno, &c
Priododd ryw wraig weddw, Gwenno, &c
Ac felly ei annwyl Wenno,
Awch eger, gadd ei chogio,
Gwagedd yw ochneidio, Gwenno, &c
'Roedd mwy o aur gan honno, Gwenno, &c

Mae aur yn llygru llawer, Gwenno, &c
Mawr flys sy ym mhob pleser, Gwenno, &c
Mae gair ymhlith y Cymry,
Gwna aur i'r pair i ferwi,
'Does achos it ryfeddu, Gwenno, &c
Nac eto i edifaru, Gwenno, &c

Y mae o fewn i Gymru, Gwenno, &c
Yr un dast all dystiolaethu, Gwenno, &c
Mai mawr yw twyll y meibion,
Mawr ddichell sy'n eu calon,
Peth rhyfedd fod hen ddynion Gwenno, &c
Trwy ddawn fu'n rhodio'n union, Gwenno, &c

Promeisiodd dy briodi, Gwenno, &c
Dull hagar er mwyn hogi, Gwenno, &c
Mae llawer llanc anghymen,
Nôl landio'n lân i Lundain,
Byth yn 'bargofi'r fargain, Gwenno, &c
Fel hyn gwnaeth yr hen filain, Gwenno, &c

I ti fe droes yn fradwr, Gwenno, &c
Dangosodd dric hen filwr, Gwenno, &c
Hen filain felltigedig,
Gwaetha' dyn o'r Mwythig,
Daw arno farn yn ffyrnig, Gwenno, &c
Caiff fynd i'r ffau wenwynig, Gwenno, &c

Fe ddywedai mewn modd cywir, Gwenno, &c
Gan lethu iddi lythyr, Gwenno, &c
Cyn iddo fe gyflawni,
Adduned wnaeth â'i Wenni,
Pan aeth o gamrau Cymru; Gwenno, &c
Am dwyll fe gaiff ei dalu, Gwenno, &c

Ni glywsom er y cynfyd, Gwenno, &c
Am frodyr oedd o'r unfryd, Gwenno, &c
Sef Judas gynt a Haman,
Am glod a chod ac arian,
Daeth barn gwaith rhoddi cusan, Gwenno, &c
Daw felly i hwn ei hunan, Gwenno, &c

Mae llawer un yn taeru, Gwenno, &c
Mewn mwyth pan byddo'n methu, Gwenno, &c

Ac felly y mae yntau
Yn brathu mewn pregethau,
Yn brudd daw dydd dialau, Gwenno, &c
Mewn twyll gusanau bochau, Gwenno, &c

Fe gadd y cleirchyn mantach, Gwenno, &c
Dalu rhodd dan rwgnach, Gwenno, &c
Sef hanner cant o bunnau,
Yn gostau am ei gastiau,
'Does undyn byw na chwarddai, Gwenno, &c
Cadd dalu fel y dylai, Gwenno, &c

Yn awr 'rwyf yn ffarwelio, Gwenno, &c
Da mwynaidd 'rwy'n dymuno i Wenno bach, &c
Am hynny'r merched mwynion,
Gwrth'nebwch gyd o'ch calon
Roi'ch meddwl mwy i'r meibion, Gwenno, &c
Digwyddodd iddi yn greulon. Gwenno, &c.

codlwr: Cybolwr, rwdliwr, baldorddwr.

Ac er fy mod i'n sawdwr: Bu Jones yn filwr yn y 'Life Guards' cyn dechrau cynghori a phregethu

eger: Egr, ffyrnig, gwyllt, digwilydd, haerllug.

cogio: Twyllo, gwneud dichell.

'Roedd mwy o aur gan honno: Yn ôl y dystiolaeth a gyflwynwyd yn y llys, cafodd Jones fil o bunnau gan ei ail wraig. Daw'r gerdd a gyhoeddwyd yn nhaflen y Cymreigyddion i ben gyda'r llinell hon. Yn *Yr Awen Lawen; sef Casgliad o Gerddi Dewisol* (Abertawe, 1826), ceir wyth o benillion ychwanegol gydag enw Glan-y-gors wrth y gerdd gyfan ac fe'u cynhwysir yma. Dyma'r fersiwn helaethach a welir yn *Yr Awen Fywiog: Sef Caniadau Glan y Gors ac Eraill* (Llanrwst, 1858).

hagar: Hagr, gair cyfoethog ei ystyron: hyll, ffiaidd, cas, anonest, anweddus.

anghymen: Ffôl, byrbwyll.

hogi: Awchu, blaenllymu, ond yn y cyd-destun hwn, symbylu, cyffroi, angerddoli.

'bargofi: Ebargofi, anghofio, gollwng dros gof.

gan lethu: Llethu. Anodd gweld beth yw union ystyr y ferf yn y fan hon – gall olygu gyrru llythyr yn llawn o feddyliau aflan.

Judas gynt a Haman: Gwyddys am y modd y bradychwyd yr Iesu gan Judas. Prif weinidog Ahasferus (Xerxes), brenin Persia, oedd Haman. Pan wrthododd Mordecai ymgrymu ac ymostwng iddo cynllwynodd Haman i ddial arno trwy ei ladd gyda holl Iddewon Persia. Ond bu Esther a Mordecai yn drech nag ef, ac fe'i crogwyd ar y crocbren a baratôdd ar gyfer Mordecai. Gw. Esther, Penodau 3-7. Y mae Haman yn gymeriad o bwys yn nrama Saunders Lewis, *Esther.*

gwaith rhoddi cusan: Oherwydd, o achos rhoddi cusan.

mwyth: Gall olygu moethusrwydd, esmwythyd, a hefyd, chwant, trythyllwch, fel yn yr ymadrodd 'mwythau'r cnawd'.

cleirchyn: Henwr bach, musgrell.

mantach: Diddannedd, â dannedd yn eisiau.

hanner cant o bunnau: Yr oedd y barnwr yn yr achos, yr Arglwydd Kenyon, o'r farn nad oedd yr achos yn un difrifol iawn a gorchmynnodd i Edward Jones dalu hanner cant o bunnau i Miss Prydderch.

VIII

Cerdd Newydd

Hanes esgymundod Mr. Edwd. Jones, Pregethwr Methodus yn Llundain, yr hwn y mae ei ddisgyblion wedi ei adael, am na roddasai ei gapel yn Llundain dan lywodraeth babyddol y Bala.

Tôn: Tyb y Brenin Iago

Pa beth a dwysodd y Methodusiaid,
Sy'n awr fal gwylliaid yn eu gwall;
Ond garw troes y gwynt,
Os oeddynt gynt yn gall;
Nid pechaduriaid sy'n ymdaro,
Ac yn brydio er mwyn cael bri,
Ond rhai sy'n mynd ar goedd
I'r nefoedd hebddom ni.
Pregethwyr sydd yn gwthio
Ac yn llidio wrth y naill a'r llall,
Mae rhai heb rôl a'u ffydd yn ffôl,
Yn dduwiol ac yn ddall;
Heb gael i'w rhan, yn unrhyw fan,
Er gruddfan, ddim o'r gras;
A'r rheini'n fawr eu rhi' sy 'leni'n codi cas;
Os darfu hen bregethwr droi'n garwr efo Gwen,
Paham i'r doetha', wŷr duwiola' o'r Bala droi'n ei ben.

Byrdwn: Pwy yn ei go' ymgrynai i'r gro,
I foddio'r ddelw fawr;
Er hardd ydyw hon,
Daw Babilon i lawr.

Rhowch bawb olwg fal mae'r Bala,
Ryw fodd yn benna'n Rhufain bach;

Offrymwch yno'n glau, gwneir eich eneidiau'n iach;
Gwnewch er undyn bererindod,
Rhyw dre' hynod ydyw hi,
Cewch fendith ddechrau ha', wrth wledda'r Jubilee;
Bu hen brygethwr Llundain
Yn gywrain yno'n gynt,
Yn rhoi goleuni am aileni, yn heini ar ei hynt,
Pan aeth o'i le, i lawr ag e,
'Roedd pawb am gyfle'n gaeth;
Ond gwych ei fod yn ffel yn ei gapel heb fod gwaeth,
Ped fasai heb y llyfrau, a moddau cariad mab,
E gawsai hwn, heb un gair twn,
Y pardwn gan y Pab.

Byrdwn: Pwy yn ei go', &c.

Mae rhai yn ceisio cipio'r capel,
Sydd am ei hoedel iddo'i hun,
A throi y gŵr o'i gell,
Ond mawr yw dichell dyn;
Pwy a dalodd am 'r adeilad,
Dull y trefniad a phob traul,
Mae'n sicr nad y rhain, sy'n filain am y fael;
Dae ei ffoledd ef i'r golwg, mae'n amlwg hyn i ni,
Mae'n dda i chwithau, nad yw'n golau,
Mo'ch holl bechodau chwi;
Pwy â'i garreg all ei gyrredd, peth rhyfedd os oes rhai,
Yn gallu mynd o hyd, trwy'r bywyd heb eu bai;
A hwythau ei ddisgyblion a droeson draw yn drist,
Mae gado ar lawr, a fo mewn loes,
Yn hollol groes i Grist.

Byrdwn: Pwy yn ei go', &c.

Canodd Glan-y-gors y gerdd hon yn Llundain, 26 Ebrill 1802 (BL Add. Mss. 14958, 103-5). Gŵr o Lansannan oedd 'Ginshop Jones' a gwnaeth gryn niwed i'r achos Methodistaidd yn Llundain oherwydd ei natur unbenaethol. Eisoes cyn yr achos llys yn ei erbyn yr oedd rhai o'i gynulleidfa yn Wilderness Row wedi cefnu arno a throi at yr Annibynwyr. Wedyn, ymadawodd y rhan fwyaf o'r aelodau i ymgynnull mewn lle arall. Cawsant gefnogaeth y sasiwn a cheisiwyd atal Jones rhag pregethu a'i ddiarddel. Achubodd Jac y cyfle i esgus cydymdeimlo â Jones, ond cyfle ydoedd, mewn gwirionedd, i ymosod ar 'lywodraeth babyddol' arweinwyr y Methodistiaid Calfinaidd. 'Y Pab o'r Bala' oedd llysenw Glan-y-gors a'i gyfeillion ar John Elias. Daliodd Edward Jones ei afael ar y capel yn Wilderness Row tan 1806, pryd y bu'n rhaid iddo gilio, meddid, 'snarling.' Gw. R. T. Jenkins & Helen M. Ramage, *A History of the Honourable Society of Cymmrodorion* (1951), 123-4; *Y Bywgraffiadur Cymreig Hyd 1940* (1953), 429, a'r cyfeiriadau ychwanegol yno.

a dwysodd: A dywysodd, a arweiniodd.

brydio: Poethi, llidio, ennyn. Soniodd Theophilus Evans yn *Drych y Prif Oesoedd* (1740) am 'zêl yn brydio yn ein calonnau.'

I'r nefoedd hebddom ni: Cyfeiriad at y cyntaf o Bum Pwnc Calfiniaeth, sef bod Duw, yn yr Arfaeth, cyn sylfaenu'r byd, wedi dewis, wedi ethol nifer benodol o gredinwyr i ogoniant tragwyddol.

yn ei go': Yn ei iawn synnwyr.

heb rôl: Heb reol, heb awdurdod.

Jubilee: 'Association flynyddol yn y Bala', meddai Jac mewn nodyn.

ffel: Call, synhwyrol, ond ystyron eraill yw cyfrwys, ystrywgar, dichellgar.

twn: Toredig, briwedig, ac yn y cyswllt hwn, efallai, yn golygu heb un gair croes.

Dae: Pe deuai.

gado: Gadael.

IX

Hanes y Sesiwn yng Nghymru

Tôn: Sweet Home/Diferion o Frandi

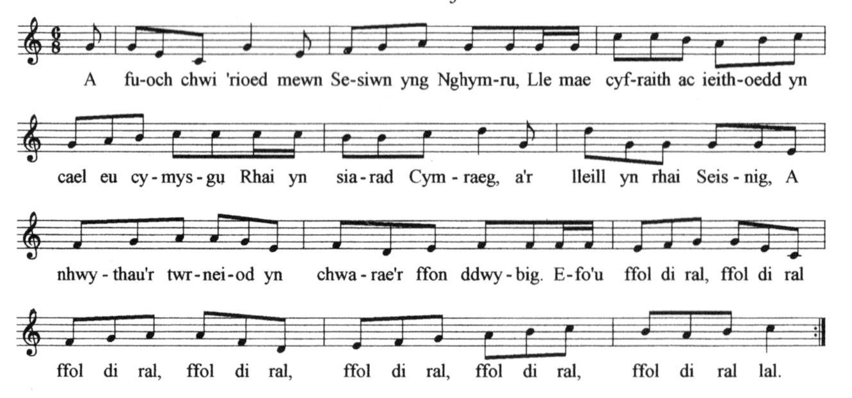

A fuoch chwi 'rioed mewn Sesiwn yng Nghymru,
Lle mae cyfraith ac ieithoedd yn cael eu cymysgu?
Rhai yn siarad Cymraeg, a'r lleill yn rhai Seisnig,
A nhwythau'r twrneiod yn chwarae'r ffon ddwybig.
Efo'u ffol di ral, &c

Bu yno'n ddiweddar ryw helynt mewn treial,
A'r Ustus ar ddodwy wrth wrando ar y ddadal;
Gast i Gadwaladr o Ben Ucha'r Nant
A giniawodd ar oen i Siôn Ty'n-y-Pant.
Efo'i ffol di ral, &c

A Siôn aeth i gyfraith trwy lawer o boen,
I wneud i Cadwaladr roi tâl am yr oen;
A chownsler o Lundain, dan godi ei glôs,
A gododd i fyny *to open the cause.*
Efo'i ffol di ral, &c

"Gentlemen of the jury:
Cadwallader's dog of the Head of the Nant,
Killed a fat lamb of John Ty'n-y-Pant,
We claim in this court, without any dispute,
The value of the lamb, with all cost of suit."
Efo'i ffol di ral, &c

Fe dyngai rhyw Gymro: "Mae'n hysbys i mi
Nad ydyw Cadwalad yn cadw'r un ci".
Y cownsler a waeddai: "*Pray don't be in haste,*
If he don't keep a ci *well he does keep a* gast."
Efo'i ffol di ral, &c

Fe atebai un o'r jury: "Meddwl 'r ŷm ni
Na welwyd yng Nghymru erioed *ast* yn *gi*,
Ac ni ellwch chwithau efo'ch cyfraith a'ch Saesneg
Wneud caseg yn geffyl, na cheffyl yn gaseg."
Efo'u ffol di ral, &c

Ond Siôn Robert Rolant o Ben Isa'r Dre,
Ddaeth yno i gyfieithu pob gair yn ei le;
Ar ôl sychu ei drwyn i gael edrych yn drefnus,
Dechreuodd ar osteg i ddysgu'r hen Ustus.
Efo'i ffol di ral, &c

"*My Lord and Gentlemen of the Jury*:
Mae llawer o feddyliau, 'r wy'n gofyn eich barn,
Yn Gymraeg ac yn Saesneg i'r gair elwir CARN –
'Carn ceffyl', 'carn twca', a'i gyfieithu o chwith,
Gellwch alw 'carn lleidr' yn 'hilt of a thief'."
Efo'i ffol di ral, &c

"*But* ci *is a dog, and male is a* gwryw,
So cow is a buwch *and bull is a* tarw,
And gast *is a bitch – which shaking her* cynffon –
The same sex, my Lord, as your madams in London."
Efo'u ffol di ral, &c

A'r hen Ustus dd'wedai: "*It appears to me,*
This man lost his lamb between a gast *and a* ci;
The value of verdict we may easily rejoin" –
My Lord, 'twas a cigfran *that killed the* oen."
Efo'i ffol di ral, &c

"*A* cigfran!!
Against such a name there is no accusation,
It mentions a dog in this declaration,
But what is a cigfran? – *I can't make a guess*",
My Lord it's a blackbird who lives upon flesh."
Efo'i ffol di ral, &c

"*A bird that destroyed such an innocent creature,*
Of course, he must be of ravenous nature,
He'll pick out your eyes, my Lord, in a crack,
Just like an old lawyer, he is always in black."
Efo'i ffol di ral, &c

Wel, cofiwch i gyd mai gwell yw cytuno,
Rhag ofn y cewch frathiad os ewch i gyfreithio,
A mynd yn y diwedd, ar ôl cadw sŵn,
Fel yr aeth yr oen bach rhwng y cigfrain a'r cŵn.
Efo'u ffol di ral, &c

mewn Sesiwn yng Nghymru: Testun y gerdd hon yw achos dychmygol yn un o lysoedd y Sesiwn Fawr, 'the Great Sessions of Wales' a sefydlwyd yn 1543, sef y brawdlys a gynhelid yng Nghymru ddwywaith y flwyddyn ym mhob sir ac eithrio Mynwy. Saesneg, wrth gwrs, oedd iaith y llysoedd, er bod y gyfundrefn gyfreithiol hon yn arbennig i Gymru a'r mwyafrif llethol o'r boblogaeth yn uniaith Gymraeg. O'r 217 o'r barnwyr a wasanaethodd y Sesiwn Fawr rhyw 30 a oedd yn Gymry ac ychydig o'r rheiny a fedrai Gymraeg. Diddymwyd y Sesiwn Fawr yn 1830 a dyna orffen y gwaith a gychwynnwyd gan y Ddeddf Uno o uniaethu Cymru â Lloegr. Am ymdriniaethau â gweithrediadau'r Sesiwn Fawr, gw. Richard Suggett, 'Yr Iaith Gymraeg a Llys y Sesiwn Fawr', Geraint H. Jenkins (gol.), *Y Gymraeg yn ei Disgleirdeb* (1997), 150-79; Mark Ellis Jones, 'Dryswch Babel'? Yr Iaith Gymraeg, Llysoedd Barn a Deddfwriaeth yn y Bedwaredd Ganrif a Bymtheg', Geraint H.Jenkins (gol.), *Gwnewch Bopeth yn Gymraeg* (1999), 553-8.

Yn Eisteddfod Cerrigydrudion, 1867, cynigiwyd gwobr am y ffugchwedl orau ar *Y Sesiwn yng Nghymru* a'r stori hon i gynnwys yn arbennig: '1. Y niwed o ymgyfreithio. 2. Y modd y mae pethau bychain yn arwain i bethau mawrion. 3. Y niwed o benderfynu pethau Cymreig ger bron Barnwyr Saesneg.' Y bardd Taliesin Hiraethog (John Davies, 1841-1894), gŵr o gynefin Glan-y-gors, a enillodd y wobr. Gw. Enid Pierce Roberts (gol.), *Taliesin Hiraethog. Detholiad o'i Weithiau* (1950), 54-83. Siôn Rolant yw enw un o'r ymrafaelwyr yn y stori ac y mae pennill olaf cerdd Glan-y-gors yn glo arni.

carn lleidr: Man cychwyn cerdd Glan-y-gors yw'r hanes a geir ym mhamffled Thomas Roberts (1765/6-1841), *Cwyn yn erbyn Gorthrymder* (1798). Brodor o Lwyn'rhudol, plwyf Aber-erch, Sir Gaernarfon, oedd Thomas Roberts a ymfudodd i Lundain yn fachgen pedair ar ddeg oed a dilyn gyrfa lwyddiannus yno fel gof aur. Yr oedd yn gyd-aelod â'r prydydd yng Nghymdeithas y Gwyneddigion. Taranodd Thomas Roberts yn erbyn Eglwys Loegr a thalu'r degwm (gw. rhif XII) a daeth cyfreithwyr a barnwyr di-Gymraeg dan ei lach. Rhestrodd y termau Saesneg a ddefnyddid, meddai, i '[d]dychrynu dynion lled wirion', a rhoes sylw i waith cyfieithwyr anfedrus yn llysoedd y Sesiwn Fawr, gan sôn am un a glywodd 'yn ddiweddar' yng Nghaernarfon:

> Y peth fydd ber-arogl mewn un iaith a ddrewa wrth ei gyfieithu yn ôl y llythyren i iaith arall. Hyn a allwn ei weled yn eglur, yn yr hyn a ddigwyddoedd yn NGHAERNARVON pan oedd yr hên *William Evans* yn cyfieithu rhyw un ag oedd yn tystiolaethu; sef i, "hwn a hwn ei alw e (y tyst) yn *garn lleidr*," fe ddigwyddodd y pryd hynny i'r Barnydd (pan weloedd bawb yn chwerthin) ofyn, pa beth oedd yn ei ddywedyd, ebr cyfieithydd dysgedig, "*He says, he called him the hilt of a Thief.*"

Bu'n rhaid i 'ryw well cyfieithydd' egluro hyn oll i'r barnwr ac ychwanegodd Thomas Roberts: 'Ni fedraf mor deall paham na chawn ni y cyfreithiau yn ein hiaith ein hunain'. Yn nes ymlaen cyhoeddodd *The Welsh Interpreter* (1831), llyfryn o frawddegau defnyddiol ar gyfer cyfieithwyr.

cownsler: Cwnsler, dadleuydd mewn llys, twrnai, cyfreithiwr.

twca: Cyllell fawr, 'tuck-knife'.

madams: Gwragedd sydd yn cadw puteindai.

in a crack: Mewn crac, mewn amrantiad, 'in a jiffy'.

X

Priodas Siencyn Morgan

Sef Cân Newydd yn gosod allan ddull priodasau yng Nghymru

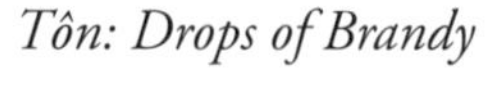

Tôn: Drops of Brandy

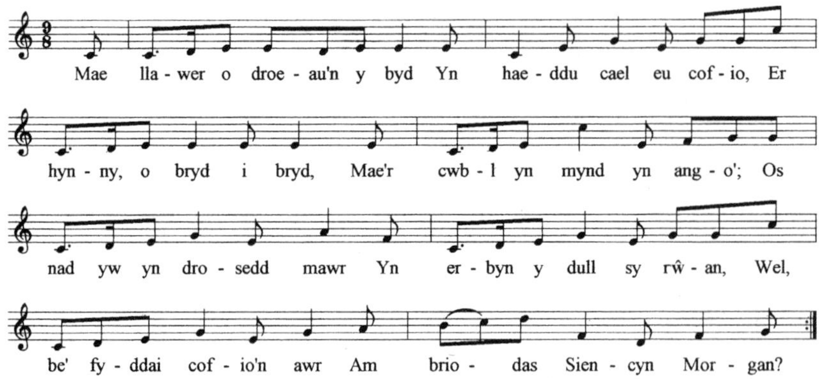

Mae llawer o droeau'n y byd
  Yn haeddu cael eu cofio,
Er hynny, o bryd i bryd,
  Mae'r cwbl yn mynd yn ango';
Os nad yw yn drosedd mawr
  Yn erbyn y dull sy rŵan,
Wel, be' fyddai cofio'n awr
  Am briodas Siencyn Morgan?

'Roedd Siencyn am chwarae pêl
  Yn fawr ei glod trwy Gymru,
A gwasgu, doed a ddêl,
  Y merched ar y gwely;
Am fedi a lladd gwair
  'Roedd Siencyn yn eitha' gweithiwr,

Priododd ddydd Gŵyl Fair
  A Siani Siôn y Gwthiwr.

'Roedd llawer yn fawr eu bryd
  Am arlwy cinio'r briodas,
A'r merched ifanc, i gyd,
  Yn barnu fod hynny yn addas;
'Roedd rhai yn torri cig moch
  I'w yrru i Siani yn anrheg,
A'r lleill yn rhoi siwgr coch,
  Ac eraill fara canrheg.

'Roedd yno anferth sŵn,
  A phawb yn eithaf llawen,
Rhoi bara gwyn i'r cŵn,
  A'r cathod yn llyfu'r hufen;
'Roedd ci Modryb Ann Ty'n-y-coed
  Yn gweiddi yn anghyffredin,
Am iddo losgi ei droed
  Mewn padell fawr o bwdin.

'Roedd yno bwdin pys,
  A'r rheini ar hanner berwi,
A'r goges wedi torri ei bys,
  A cholli'r cadach llestri;
Ond cig y maharen du
  Oedd wydn yn ei gymalau,
A photes o faip oedd gry',
  A chloben o bastai 'falau.

'Roedd rhai yn bwyta'n iawn,
  A phawb yn llenwi ei geudod,
Ond Gruffydd o Ros-y-mawn
  A blannodd y fforch yn ei dafod;
'Roedd Twm am bastai cig llo
  Yn galw yn anghyffredin,
Fe fwytaodd aer Ty'n-y-gro
  Dros bedair llath o bwdin.

'Roedd yno berson y plwy'
   Yn yfed wrth fodd ei galon,
A phedwar o aerod, neu fwy,
   A'u tiroedd dan ddyledion;
Yr hen Cadwaladr Siors,
   Dic Aelwyd Brys a'i delyn,
A Jac o Lan-y-gors,
   A Robyn Ddu o Nantglyn.

'Roedd yno anferth drwst,
   Wrth yfed a mygu tybaco,
A rhai yn fawr eu ffrwst
   Yn codi i fyny i ddawnsio;
Pe gwelsech chwi Siani a Thwm
   Yn dechrau ysgwyd eu berrau,
A Modryb Elin o'r Cwm
   Yn dawnsio yn nhraed ei 'sanau.

Hi aeth yn ffwndwr ffair,
   Rhwng yfed cwrw a smocio,
Rhai yn caru'n y gwair,
   A'u peisiau'n cael eu rhwygo;
Oddeutu hanner nos
   'Roedd rhai'n mynd adre'n feddwon,
Fe syrthiodd dau yn y ffos,
   Y clochydd ar gefn y person.

'Roedd rhai lodesi glân
   Yn cochi'n fawr gan g'wilydd,
Wrth weld rhoi Siencyn a Siân
   I orwedd ym mreichiau ei gilydd;
Ac wrth gusanu ei boch,
   Aeth Siencyn i gynhyrfu,
A chwarter cyn pedwar o'r gloch
   Fe dorrodd gwaelod y gwely.

Siencyn Morgan: Mentraf gynnig bod Jac Glan-y-gors wedi cael enw'r priodfab yn anterliwt William Roberts, *Ffrewyll y Methodistiaid* (c.1745), lle mae Siencyn Morgan y cynghorwr Methodistaidd twyllodrus yn esgus priodi putain. Yr oedd Glan-y-gors yn elyn digymrodedd i'r Methodistiaid ac nid gormod awgrymu ei fod yn gyfarwydd â'r anterliwt ac i'w dychan creulon roi pleser arbennig iddo. Gw. A. Cynfael Lake (gol.), *Ffrewyll y Methodistiaid* (1998). Y mae sôn hefyd yn yr anterliwt am y *press-gang* a gwyddai Jac yn iawn am beryglon presio. Ys dywedodd Thomas Jones, ecseismon, amdano mewn llythyr at Edward Charles, 30 Hydref 1796: 'mae'n debyg gennyf nad oes yn ei fryd ysgwyddo mwsged ar frys yn achos y rhyfel gyfiawn ac angenrheidiol yma'. (BL 14957, 171). Eto i gyd, ymddengys mai cwmni o eglwyswyr sydd yn y briodas hon a'r person a'r clochydd yn eu plith. Yn ôl traddodiad, priodas yn nheulu'r Morrisiaid, Hafod Lom, plwyf Cerrigydrudion, oedd cynsail y gerdd hon.

Am fedi a lladd gwair: Y mae'r rhain yn drosiadau cyffredin yn *lingua franca* y baledi serch Cymraeg a Saesneg. Dywedodd A. L. Lloyd: 'Ploughing, sowing, reaping, mowing are simple vivid symbols in a sizeable number of verses that set out a woman's body in terms of a landscape'. *Folk Song in England* (1975), 188-9. Dyna arwyddocâd lladd gwair yn y gân werin 'Hen Ladi Fowr Benfelen':

> Hen ladi fowr benfelen
> Yn dod gatre' o'r ffair,
> Gynigiodd i mi goron
> Am ladd yr wrglo' wair.
>   Twdl-di rei-di hei-di ho

Gw. Roy Saer (gol.), *Caneuon Llafar Gwlad*, I (1974), 34, 61. Un o'r esiamplau gorau yw 'The Mower', V. de Solo Pinto & A. E. Rodway (eds), *The Common Muse* (1965), 450-2. Gw. hefyd ragymadrodd James Reeves i *The Everlasting Circle* (1959); Roger de V. Renwick, *English Folk Poetry, Structure and Meaning* (1980), Pennod 2, 'The Semiotics of Sexual Relations'; E. G. Millward, *Cenedl o Bobl Ddewrion* (1991), 'Canu ar Ddamhegion', 1-11.

Gŵyl Fair: Anodd dweud pa Ŵyl Fair a olygir. Dichon mai Gŵyl Fair Forwyn Ddechrau'r Gwanwyn (2 Chwefror) sydd dan sylw. Dymuno a dathlu ffrwythlondeb natur a wneid yn y canu ar Ŵyl Fair, gyda dymuniad cyffelyb yma am briodas ffrwythlon.

Siôn y Gwthiwr: Torri tyweirch oddi ar wyneb y tir – tir gwydn y mynydd, er enghraifft – oedd gwthio. Rhaid oedd gwthio'r fath dir cyn y gellid ei droi ac yr oedd yn waith caled. Am ddisgrifiad o'r llafur hwn a darlun o'r haearn gwthio, gw. Hugh Evans op. cit., 102-4, 106.

bara canrheg: Bara canrhyg, bara wedi'i wneud o gymysgwch o wenith a rhyg, bara brown. Y mae'n bosibl fod Glan-y-gors yn chwarae ar ystyr yr ail elfen; ystyr 'canrheg' yw cant o roddion, cant o anrhegion, a hynny yn rhoi odl gyfleus iddo.

Dic Aelwyd Brys a'i delyn: Richard Roberts, a raddiodd yn Ddisgybl Pencerdd

Dant yn Eisteddfod Caerwys, 1798. Sonnir amdano yn yr 'Awdl Newydd' am yr eisteddfod honno, gw. Rhif XVII. Mab Tŷ Nant, Clust Dyble, Cerrig-y-drudion, ydoedd a symudodd wedyn i dafarn, Aelwyd Brys, Cefn-brith. Yr oedd yn achau awdur erthygl ar y prydydd: 'the twin brother of my great grandmother, Janet (or Jonett) Roberts, and a first cousin of Jac Glanygors'. Myddleton Pennant Jones, 'John Jones of Glan-y-gors', *The Transactions of the Honourable Society of Cymmrodorion*, 1909-10, 86.

Robyn Ddu o Nantglyn: Robert Davies, Bardd Nantglyn (1769-1835), un o gyfeillion Glan-y-gors. Aeth i Lundain yn 1800 a bu'n fardd ac yn ysgrifennydd Cymdeithas y Gwyneddigion. Enillodd amryw o wobrau yn eisteddfodau'r Gwyneddigion ac eisteddfodau eraill. Cyhoeddodd gasgliad o'i waith yn 1798, *Cnewyllyn mewn Gwisg*, a *Barddoniaeth* yn Llundain yn 1803. Cynhwysodd 'HANES DIC SIÔN DAFYDD. *A Satirical Song*' yn yr ail lyfr hwn. Tanysgrifiodd 'Mr. John Jones, Glan y Gors' am chwe chopi a Thomas Roberts, Llwyn'rhudol, am ddeuddeg copi.

berrau: Lluosog 'ber', coes, esgair.

XI

Person Sir Aberteifi

Tôn: Derry Down, y ffordd fyrraf

A fedrwch chwi wrando ar chwedl lled ddigri',
Sef hanes offeiriad pan oedd wedi meddwi;
Fel yr aeth ef i'r llan i geisio diferyn,
A'r achos o'i fyned oedd claddu rhyw blentyn?
Hynod iawn, iawn, iawn, hynod iawn.

Ar ôl iddo yfed, a'i 'fennydd yn mwydo,
Yn y prynhawn y clochydd ddaeth ato,
Gan ddweud wrth 'r offeiriad ar ôl iddo lyncu:
"I maes y mae benyw fach yn awr eisiau'i chladdu."

Yna dywedai'r offeiriad yn ffyrnig:
"Os ydyw hi'n farw geill aros ychydig,
Mi fuaswn yn union yn codi i fynd ati,
Pe buasai hi'n disgwyl am gael ei phriodi."

Ond i'r fynwent cychwynnai y person a'r clochydd,
Tan ysgwyd a churo eu cloliau yn ei gilydd;
Ac er bod y bedd yn un o'r rhai lleia',
Y clochydd a'r person aeth iddo fe'n gynta'.

Dywedai'r offeiriad pan gafodd ei gynfas,
"'Rwy'n awr yn cyhoeddi gostegion priodas;"
"O nage," ebe'r clochydd, "nid felly mae'r dechrau,
Gwraig aned o ddyn sydd ychydig o ddyddiau."

Dywedai'r offeiriad, "'Rwyt ti wedi meddwi,
Fe aned pob gwraig cyn cael ei phriodi;

'Rwy'n *supposo* y gwn i pa beth 'rwy' o gwmpas,
'Rwy eto'n cyhoeddi gostegion priodas."

Dywedai rhyw ddynes oedd yno'n galaru,
"Syr, mae yma fenyw fach yn awr eisiau ei chladdu."
"O! cleddwch y fenyw, a dewch at y cwrw,
Ynfydrwydd yw darllen i neb wedi marw."

A phan aeth yn hwyr, yr offeiriad a alwai,
"Mae arnaf chwant dobyn i fynd tuag adrau."
Ac yno, ar ei farch, hwy roisant y person,
A'i din at y clustiau a'i drwyn at y gynffon.

Ac wrth fyned adref, ar hyd rhyw ffordd gerrig,
Wrth ysgwyd ei benglog fe gollodd ei ferwig;
Ac yna rhyw gigfran a'i hysgubodd hi'n union
I ddodwy ac i nythu ym merwig y person.

Pan aeth ef at y drws y wraig a ddôi allan,
Gan ddweud, "Dyma offeiriad yn gweini'r hen Satan;
Onid yw'n resyn gweled y person
Yn marchogaeth yn awr a'i drwyn at y gynffon?"

Dywedai'r offeiriad pan glywodd o'r siarad,
"Paid, fenyw fwyn, â bod yn anynad,
Ond gwêl di'r gwyrthiau wnaeth 'r Arglwydd â myfi,
Mae 'ngheffyl i'n fyw a'i ben wedi'i dorri."

Wel, dyma rybudd i bob rhyw offeiriad,
Am fod yn ddyn sobor, i ddilyn ei alwad,
A chofiwch i gyd, cyn i chwi feddwi,
Am hanes 'r offeiriad o Sir Aberteifi.

hanes offeiriad: Yn ôl traddodiad, person Tregaron oedd yr offeiriad hwn. Gellir gweld bod yma gais i beri bod iaith y gerdd yn adleisio tafodiaith Ceredigion. 'Person wedi meddwi' yw'r teitl mewn rhai taflenni.

cloliau: Pennau, penglogau.
un o'r rhai lleia': Ceir 'un o'r rhai cula' mewn rhai fersiynau.
cynfas: Cyfeiriad at wenwisg y person, mae'n debyg.
dobyn: Gwydraid neu hanner peint o gwrw, 'a dobbin'.
adrau: Adref.
anynad: Blin, sarrug, cecrus; gw. Rhif III, y pennill cyntaf.

XII

Gwrandawed pob Cymro

Cerdd Newydd o hanes fel y bu rhyw offeiriad yn rhoi ei wasanaeth i un o'i blwyfolion oedd yn glaf.

Tôn: Cil y Fwyalch/Queen Bess

Gwrandawed pob Cymro a garo sŵn gwirion,
Cewch glywed cryn barsel o hanes rhyw berson,
Sy'n byw rhwng yr Eglwys a Chae'r Domen Riglo,
'Ran degwm odiaethol fydd lle bo gwrteithio;
Ac felly mae fynte, am ei fantais yn hynod,
Rhwng rhent anhaeddiannol a dwyn rhai tyddynnod.

Mae ganddo fo reid i rodio'n gynffonlon,
Ym mysg merched ifanc, a rhai gwragedd gweddwon;
Fe fydd draw ac yma, yn hela ac yn holi,
Neu'n ffowlio'n hoff wiwlan yn ddigon di-ddiogi;
Mae'r gair fod e'n canlyn ar ail stwffio colar,
A gadd ef mewn eisiau 'r ôl sodlau rhyw sadlar.

Fe wnaeth yn ddiweddar dro hawddgar, mwy harddgu
Nag odid bersoniaid – mae llawer yn synnu –
'Roedd un o'i blwyfolion dan glefyd marwolaeth,
A hwnnw oedd yn swnio am gael ei wasanaeth,
Ac yntau drwy'r wythnos oedd agos i'w ddegwm,
A rhwng pob trafferthion ymddrysai'n ddireswm.

Ond ar fore Sabboth ei drafferth roes heibio,
A photel o win wrth ei din, aeth hyd yno;
A "How di, Siôn William?", gan eiste wrth ei wely,
"Dowch, yfwch botelaid, y plwy' sy raid dalu,

Mae yfed yn *hearty*, os peidiwn â hurtio,
Yn well na rhyw gymun, fel y gallom ni 'mgomio."

Ac felly, cyd-yfed wnâi'r ddau gan gydafel,
Nes cafodd y cyfan ei bwtian o'r botel,
A'r person ofynnodd, deisyfodd yn suful,
I'r gŵr wrth ei gyffes, a wertha fo'i geffyl,
A'r henwr a ddeudodd, "Hau'r tir ydyw'r ddadal,
Onid e mi a'i gwerthwn cyn gwrthod un treial."

Ac yna'r eglwyswr a glosiai, gan dd'wedyd,
"Mi haeaf fi'r tir tan rawn pan ddaw'r ennyd,
A gwnaf trwy bur gariad bob peth i'r man gore,
Na bo ond y mwyniant rhwng eich gwraig chwi a minne;
A threwch imi'r ceffyl, yn wrthrych o'ch cyffes,"
Ac felly cytunwyd, bargeiniwyd yn gynnes.

Y person ar hynny a gogiodd yr henwr,
A dyna'r fath gymun fu rhwng y ddau 'mgomiwr;
Y gwin heb ddim bara gyflawnodd y bwriad,
A'r ceffyl yn glochydd oherwydd gwehyriad,
O ran mae gweryru yn dangos gwir arwydd
I ddweud "Amen" mynych ar ledsych ddyletswydd.

Y duwiol offeiriad ar fin canu ffarwel,
At y gwely nesaodd gan ofyn yn isel,
"Rhowch i mi'ch pwrs a'ch arian yn gadarn i'w gadw,
'Ran llawer ddigwyddiad eill hapnio i wraig weddw;"
A'r henwr a dyngodd, gan wylltio a gwingo,
"Na chewch ar fy enaid ! Gwnaed pawb fel y mynno."

A'r person gan dewi a rodd ymadawiad,
A braidd wedi monni eisiau cael ei ddymuniad;
A chloch y gwasanaeth a glywe fo'n swnio,
Bu rhywyr mewn dwned i'r gŵr gerdded yno,
Rhag ofn fod y clochydd, a'i 'fennydd i fyny,
Yn sathru'r pytatws oedd ar lawr y clochdy.

Fan honno gwnâi'r person ei dirion ystorws,
Nid hawdd cael lle twtiach i gwtsio pytatws;
Fe all'sid rhoi'r eglwys â'r mawr wagle ynddi
I wneud 'Sgubor Degwm, i borthi diogi;
Mae'r to a'r holl wydrau a'r waliau'n gryn g'wilydd,
Y costau sy ar eraill, gyda swp mor ddiddeunydd.

Ar hyn dyma'r 'ffeiriad i mewn yn gorfforol,
A'r clochydd a redodd, fel 'roedd angenrheidiol,
Rhodd bapur i'w feister, yn foesdeg ei bwrpas,
I gyhoeddi'n briodol ostegion priodas,
A pheth a wnaeth ynte a'r enwau'n wir hoenus
Ond deisyf rhoi gweddi gyda'r rhain yn gyhoeddus.

Drachefn rhoes ostegion yn gyfion pan gofiodd,
A gweddi tro cynta', y peth na chadd cantoedd,
Ac felly mae'r gŵr yn siŵr, ar amserau,
Yn misio rhyw gyrion, mae siawns i'r rhai gorau;
Feallai mai'r ceffyl, oedd annwyl i'w ddeunydd,
Neu'r pwrs, nas câi mono, a wasgai ar ei 'mennydd.

Beth bynnag, wrth bwnio a swnio am bersoniaid,
Mae llawer am ddegwm, yn byw'r un ymddygiad;
Am hwn gyda'i gastiau, fe ddywed rhai gystal,
Fod bai ar yr esgob am swcro'r fath rascal;
A chan iddo haeddu perthynu'r fath hanes,
Y cythraul ac uffern fydd diwedd ei gyffes.

lle bo gwrteithio: Ystyr degwm yw'r ddegfed ran ac yma, y ddegfed ran o gynnyrch blynyddol tir amaethyddol a'r da byw ar y tir hwnnw. Hawliai Eglwys Loegr y dreth hon fel cyfraniad at gynnal yr offeiriadaeth. Ystyrid y degwm yn faich annioddefol gan amaethwyr eglwysig ac yn anghyfiawnder gan yr anghydffurfwyr, ac arweiniodd hyn at Ryfel y Degwm yn ail hanner y bedwaredd ganrif ar bymtheg. Nid oedd Glan-y-gors yn anghydffurfiwr, ond yr oedd yn ffyrnig o wrthoffeiriadol, fel y dengys y gerdd hon a rhai eraill. Fel Thomas Roberts, Llwyn'rhudol, bu'n groch ei feirniadaeth yn *Seren tan Gwmmwl* ar yr esgobion a'r offeiriaid a oedd 'yn ysbeilio y werin, a hynny yn enw rhyw ragrith o grefydd'. Gellid talu'r degwm i'r eglwys â chynnyrch y tir neu arian. Os telid â chynnyrch, gellid bargeinio â pherchennog y degwm. Yn y gerdd hon y mae awgrym fod gwrteithio yn addewid am gynhaeaf da, ac felly, degwm sylweddol, 'odiaethol'.

Cae'r Domen Riglo: Rhiglo/rhuglo, carthu, rhofio, clirio.

ffowlio: Gall 'ffowlio' olygu ysbeilio, anrheithio, yn ogystal â dal adar.

swnio: Grwgnach, achwyn.

yfed yn *hearty*: Nid ym myd y gyfraith yn unig y daw *Cwyn yn erbyn Gorthrymder* o waith Thomas Roberts i'r meddwl:

> Onid yw yn beth rhyfedd, na bae rhai o'r Methodistiaid, neu ryw grefyddwyr eraill, efo ni yn Nghymru, yn dwyn ar ddeallt i'r offeiriadau, eu bod yn euog o'r arferion mwyaf cywilyddus, a mwyaf twyllodrus, a ffiaidd y'ngolwg Duw a dyn, ag a ddichon fod ymhlith dynion: sef cefnogi pobl druain pensyfrdan, wrth osod eu Degymau, i yfed a meddwi nes bo nhw yn waeth eu cyflyrau na môch, i gael iddynt yn eu meddwdod gynnyg am, a chodi y degymau i fwy nag a dalant weithiau o'r hanner; . . . (t.27).

Y mae twyll person rhagrithiol y gerdd dipyn yn fwy cymhleth. Fel y gwelwyd, taranodd Glan-y-gors yntau, wrth gwrs, yn erbyn y degwm yn *Seren Tan Gwmmwl* (1795), gan fawr gymeradwyo'r hyn a ddigwyddodd yn America:

> Ni ddarfu'r gynulleidfa a wnaeth reolau a chyfreithiau llywodraeth America ddim gwneuthur cyfraith i godi degymau i gadw offeiriadau i ddarllen ac i bregethu crefydd wedi ei gwneud gan y Rhufeiniaid neu'r Tyrciaid neu ryw wag ladron eraill, a oedd ac y sydd yn ysbeilio y werin, a hynny yn enw rhyw ragrith o grefydd. Ond mae'r America yn rhydd i bob dyn addoli fel ag y mynno, a thalu at y grefydd a fynno, neu beidio â thalu at grefydd yn y byd, os bydd ef yn gweled hynny'n orau.

pwtian: Potio, llymeitian, diota.

monni: Pwdu, sorri, digio.

dwned: Cleber, baldordd.

cwtsio pytatws: Storio tatws.

cyrion: Yma, ymddengys mai'r ystyr yw pethau bach, ymylol. Unigol: cwr.

pwnio: Siarad lol, baldorddi.

swcro: Cynorthwyo, cefnogi.

perthynu: Bod a wnelo â, ymwneud â.

XIII

Cerdd Twm y Bugail o wlad y Bala

'Roedd gynt yng ngwlad y Bala
Ryw Nansi bach, ysmala;
A'r gair ei bod yn mynd ar led
Yn un o'r merched glana'.

'Roedd ganddi hi ar bob adeg
Ryw wên a llygaid glandeg;
Ond hi aeth yn sâl ohoni ei hun,
Pan oedd hi yn un ar bymtheg.

A'i mam gan anesmwythdra,
Pan aeth y ferch yn gwla,
A yrrai'r gwas mewn hanner awr
At ddoctor mawr y Bala.

Y gwycha' am drin y merched
Oedd doctor cagal defed;
Mynd ati'n union wnaeth e ei hun,
I gynnig un boteled.

Nid oedd ei botel wydur
Yn gosod fawr o gysur;
Ni wyddai'r doctor mawr ei glod
Beth allai fod ei dolur.

Pan glywodd Twm y bugel
Fod Nansi'n colli ei hoedel,
Cofio wnaeth e'n hynny o le
Fod ganddo fynte botel.

A Thwm oedd llencyn lysti,
A fasai'n gwasgu Nansi;
Pan oedd hi unwaith yn ei chrys,
Yn fawr ei chwys yn corddi.

Aeth Twm yn hanner meddw,
At Nansi'n ddigon hoyw;
Dywede hithau yn oer ei chri,
Mai ei thyngied [*sic*] hi oedd marw.

Ac yno Twm y bugel,
Roes yn ei llaw hi gostrel;
Gan ddweud mai'n honno 'roedd o hyd
Ffrwyth bywyd iechyd uchel.

A Nansi ddealle'n sydyn,
Fod y botel heb un corcyn;
Bodloni a wnaeth hi yn fawr ei chŵyn,
I gym'ryd un diferyn.

A dal a wnaeth hi i sugno,
A Thwm oedd yn och'neidio;
Rhag ofn rhoi'r gostrel iddi i gyd,
Mewn ennyd yn gwenwyno.

Ond sugno a wnaeth Nansi,
Bob diferyn ynddi;
Gan ddweud y byddai'n iach ei sail,
Os medrai ei hail-lenwi.

Ac felly Twm y bugel,
Sydd eto'n llenwi ei botel,
I'w rhoi i Nansi ar bob pryd,
I gadw o hyd ei hoedel.

Ar fesur triban y canwyd y gerdd hon. Y mae'n werth sylwi mai cerdd ystorïol, ddisgrifiadol yw hi ar y mesur hwn, fel 'Cerdd y Blotyn Du' a rhai o'r dyrïau a gasglwyd gan Richard Morris. Gw. T. H. Parry-Williams (gol.), *Llawysgrif Richard Morris o Gerddi* (1931), 19-25.

Fod ganddo fynte botel: Ysgrifennwyd cerdd Glan-y-gors rywbryd yn ystod y flwyddyn 1799. Fe'i ceir yn llsg. LlGC 106 (BL 14958), casgliad Siamas Wynedd (Edward Charles, 1757-1828), un o gyfeillion Glan-y-gors. Lluniodd Charles 'yr ail Rhan . . . a genais i fy hunan . . . yn Llundain blwyddyn 1799' a'i gopïo 'i'r Llyfr hwn' 12 Awst 1800. Dilyn yr un trosiad serch a wna ond yn fwy llafurus. Cerdd drosiadol, fwytheiriol, yw cerdd Glan-y-gors, er bod y mwythair yn un go amlwg – gallai potel gynt fod o ledr neu groen. Yr oedd yr enw Nansi yn un cyffredin ar ferched yn y baledi serch Saesneg. Cyflenwi angen Nansi y mae'r bugail ('hi aeth yn sâl ohoni ei hun') ac mae hi'n croesawu ei wasanaeth. Nid gwrthrych diniwed, goddefol, yw hi. Nid oes yma ddim condemniad moesol neu gymdeithasol. Ni sonnir am unrhyw ganlyniad anffodus neu drasig i ddefnyddio costrel Twm ac ni chynigir gwers foesol, gonfensiynol. Y cyfan a wneir yw pwysleisio llawenydd serch, yn union fel mewn llawer o faledi Saesneg.

yn ei chrys: Fe gofir bod Siôn yn llencyn lysti ac yn corddi yn ei grys yn y gerdd 'Miss Morgans Fawr o Blas-y-coed', Rhif VI. Yn achos Nansi, crys isaf, dilledyn a wisgid yn nesaf at y croen, 'chemise', yw ystyr 'crys'. Mae'n bur debyg ei bod hi yn gweithio wrth y fuddai gnoc yma eto.

XIV

Pan oedd Bess yn Teyrnasu

Cerdd Hanesiol

Tôn: Poor Jack/The Happy Days of Queen Bess

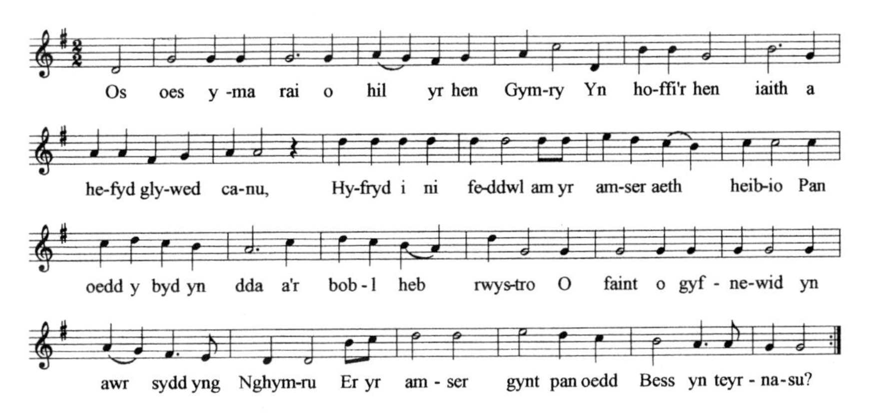

Os oes yma rai o hil yr hen Gymry
Yn hoffi'r hen iaith a hefyd glywed canu,
Hyfryd i ni feddwl am yr amser aeth heibio
Pan oedd y byd yn dda a'r bobl heb rwystro.

Byrdwn: O faint o gyfnewid yn awr sydd yng Nghymru
Er yr amser gynt, pan oedd Bess yn teyrnasu?

Nid oedd yr amser hynny fawr o eisiau arian,
Pob un yn byw yn enwog ar ei dir ei hunan;
Croesawu cerddorion y byddid wythnosau,
Rhai i ganu haf, a'r lleill i ganu gwyliau.
O faint o gyfnewid, &c.

Llawer math ar gân a fyddai gan y rheiny,
"Symlen Pen Bys," a'r hen "Hob y Deri,"
"Plygiad y Bedol Fach," a "Marged fwyn ach Ifan,"
"Ar hyd y nos," a'r hen "Forfa Rhuddlan."
O faint o gyfnewid, &c.

Nid oedd yn yr oes honno fawr o sôn am drethi,
Na mesur y tiroedd, na chodi ar y rhenti;
Undeb a chariad oedd ym mhob cymdogaeth,
A gadael i Satan gyflogi gwŷr y gyfraith.
O faint o gyfnewid, &c.

Ar brynhawn gwyliau myned byddai'r llanciau
I ganol llannerch deg, i gadw chwarae campiau:
Rhedeg a neidio y byddai'r rhai gwrol,
Ymaflyd codwm clos, a thaflu maen a throsol.
O faint o gyfnewid, &c.

Nid oedd yn yr oes honno ond ychydig o falchder,
Ni welwyd yn Llundain odid *haberdasher*,
A phawb hyd wlad Cymru yn byw yn ddigon llawen,
A'u dillad i gyd o frethyn a gwlanen.
O faint o gyfnewid, &c.

Nid oedd gan yr hen Siân, Modryb Alis, a Modlen,
Ond bacsen am y goes a charrai i glymu'r glocsen,
Pais o ddu'r ddafad, a chrys o wlanen denau,
Het o frethyn tew, a chap o liain cartrau.
O faint o gyfnewid, &c.

Nid oedd gan Domos Siôn ap Meurig ap Morgan
Ond crysbas o wlanen a chlos o frethyn 'nherpan;
Ffon o dderwen gref a fyddai yn eu dwylo,
A gwregys am eu canol i rodio ar ôl cinio.
O faint o gyfnewid, &c.

Ni bu yr hen bobl erioed yn yfed brandi,
Ni chadd yr hen wragedd fawr o de a choffi,
Bara ceirch caled o flawd wedi rhuddo,
Ychydig o ymenyn gydag enwyn i ginio.
O faint o gyfnewid, &c.

Er hyn yr oedd cwrw i'w gael yn rhai cyrrau,
I yfed at y beirdd am wneuthur carol gwyliau.
Yr oedd yn yr amser hynny ganu digon cymwys,
A chân pawb o'r gorau cyn cychwyn i Gaerwys.
O faint o gyfnewid, &c.

Ni wiw i'r beirdd 'rŵan feddwl gwneuthur canu,
Na bo chwech neu saith mor lledgroes am eu barnu;
Er iddynt wneuthur englyn a hwnnw'n broest cadwynog,
Ni thâl e mo'i ddarllen oni bydd e'n gyfochrog.
O faint o gyfnewid, &c.

Ond twrch a cherdd Saesneg na thâl hi mo'i gwrando,
Hwnnw a gaiff barch ple bynnag y byddo;
A llawer Cymro balch yn deall canu Saesneg,
Ofer yn Gymraeg yw canu dim yn 'chwaneg.
O faint o gyfnewid, &c.

Ni ganwn Gymraeg er gwaetha'r rhai beilchion,
Er cymaint eu brad a thwyll y cyllyll hirion;
Er cymaint yw hunan a dichell y Saeson,
Ni ganwn iaith ein mam er gwaetha' ynfydion.

Boed eto gyfnewidiad trwy holl siroedd Cymru,
Yn well na'r amser gynt pan oedd Bess yn teyrnasu.

Cyfansoddwyd hon ym mis Mai, 1791 (LlGC 15C, 263).

pan oedd Bess yn teyrnasu: Perthyn y gerdd hon i fath arbennig o ganu poblogaidd y sonnir amdano fel rheol dan y teitl 'Ystad Prydain Fawr'. Yn y cerddi hyn ceir disgrifiad delfrydol o'r gorffennol pan oedd Elizabeth I yn teyrnasu, a defnyddir y gorffennol hwnnw fel cyfrwng i ddychanu tueddiadau'r oes gyfoes. Cerdd Saesneg o'r fath yw 'The Golden Days of Good Queen Bess' gan John Collins (1742-1808), lle mae'r prydydd yn rhestru arferion a manteision tybiedig bywyd y dyddiau gynt:

O the golden days of good Queen Bess,
Merry be the memory of good Queen Bess.

Aeth Glan-y-gors ati i gymreigio'r canu hwn. Cerddi cyffelyb yw 'The Times Have Altered' (c.1820); 'The Farmer's Song or The Golden Times'; 'The New Times' ac eraill. Gallai'r baledwr fynd yn ôl yn bellach byth at amser Adda ac Efa, fel yn 'The Good Old Days of Adam and Eve':

The times are alter'd – I can but grieve,
For the good old days of Adam and Eve.

Un arall yw'r 'New Version of Adam and Eve':

I sing, I sing, in jingling rhymes, sirs,
In praise of long lost good old times, sirs, . . .

Enghraifft ddiddorol o'r modd y delfrydir y gorffennol yw 'The Fine Old English Gentleman':

I'll sing you a good old song,
Made by a good old pate,
Of a fine old English gentleman
Who had an old estate,
And who kept up his old mansion
At a bountiful old rate;
With a good old porter to relieve
The old poor at his gate.
Like a fine old English gentleman,
All of the olden time.

Dychanwyd y gerdd hon gan Charles Dickens yn 'The Fine Old English Gentleman' (1841):

I'll sing you a new ballad, and I'll warrant it first rate,
Of the days of that old gentleman who had that old estate;
When they spent the public money at a bountiful old rate
On ev'ry mistress, pimp, and scamp, at ev'ry noble gate,
In the fine old English Tory times;
Soon may they come again!

Gw. hefyd y barodi 'The Shentleman of Wales' a gynhwyswyd yn ddienw (gan Dewi Idloes ei hun?) yn ei flodeugerdd *Blwch Llawenydd* (1846). Wele'r pennill cyntaf a'r trydydd:

Since English Shentlemen have long
  Been singing their own praise,
And even Irishmen that way
  Have tuned their own lays,
Whilst modest Scotchmen laud themselves
  With ancient virtuous sway,
It makes hur heroic Pritish plood
  To purst out in a plaze,
To sing the real Shentleman
  The Shentleman of Wales.
    To sing the real Shentleman
    The Shentleman of Wales.

Nor think the race is yet extinct,
  Or falling to decay,
Although a date beyond the flood
  We our pedigree display;
We are yet as great, as wise, as good,
  As prave this very day.
With our Morgans, Shenkins, Watkins,
  And Jones, hur's proud to say,
With our own Sir Watkin Williams Wynne,
  The Shentleman of Wales.
    With our own Sir Watkin, &c.

Yn 1799 canodd Ieuan Lleyn (Evan Pri[t]chard, 1769-1832) 'Atteb . . . ar yr un Dôn' i gerdd Glan-y-gors, gan droi ei sylw at y gymdeithas gyfoes a dilyn trywydd mwy difrifol a beirniadol, ond gyda'r un pwyslais ar falchder a gwisgoedd rhodresgar:

Hil yr hen Gymry mae i chwi wahoddiad
Sy'n hoffi'r hen iaith i wrando datganiad,
Nid i ystyried yr amser aeth heibio
Ond i ystyried yr holiad sy ynddo,
Clywch ran o'r cyfnewid yn awr sydd yng Nghymru.
Er yr amser gynt pan oedd Bess yn teyrnasu

Yr rŵan mae trethi yn bwys ar y gwledydd
O achos ein pechod [yr] hynod ddihenydd.
Swydd ymgais un ac uchel gais arall,
Gwyn fyd y gŵr mawr, gwae'r tlawd a'r anghall,
Dyna'r cyfnewid yn awr sydd yng Nghymru.

Mesur y tiroedd a chodi ar y rhenti
Sydd achos Balchder ysgeler, os coeli;
Y Brenin pe rhodiai mewn ffair neu mewn marchnad,
Ni wyddai fawr ragor rhwng neb wrth ei wisgiad.

Dyma'r cwbl o'r gerdd sydd yn llsg. Cwrt-mawr 513B yn y Llyfrgell Genedlaethol. Fel y gellir gweld, mae'r llinell 'Mesur y tiroedd a chodi ar y rhenti' yn adleisio cerdd Glan-y-gors. Cyfeiriad yw hwn, yn ôl pob tebyg, at gau'r tiroedd comin a oedd yn rhemp yn y ddeunawfed ganrif, yn enwedig yn y cyfnodau 1755-80 a 1790-1815. Canlyniad hyn oll oedd bod gwerin Cymru yn colli hen hawliau ar y tiroedd comin, lleihau nifer y ffermydd bychain a chreu unedau mwy, gan droi llawer o ffermwyr yn llafurwyr tymhorol, a gadael i'r tirfeddianwyr godi rhenti. Erbyn diwedd y rhyfel yn erbyn Ffrainc yr oedd y rhan fwyaf o ucheldiroedd Cymru wedi eu cau. Byddai Ieuan Lleyn a Jac Glan-y-gors yn gwybod yn iawn am y cyfnewidiad hwn.

a'u dillad: Yr oedd yn hoff gan y prydyddion Saesneg ganmol dillad plaen yr hen amseroedd, e.e. 'In home-spun russet linsey clad from toe to toe' ('The Times Have Altered'). Dyna drywydd y faled 'The New Old Fashioned Farmer' (John Ashton (ed.), *Modern Street Ballads* (1888), 188-91, casgliad o faledi stryd hanner cyntaf y bedwaredd ganrif ar bymtheg):

A good old fashioned long grey coat,
The farmers used to wear, Sir, . . .
The farmer's daughters used to work
All at the spinning wheel, Sir, . . .
Their dress was always plain and warm,
When in their holiday clothes, Sir, . . .
But now, they're frilled and furbelowed,
Just like a dancing monkey,
Their bonnets and their great black veils
Would almost fright a donkey.

Yng nghanu Glan-y-gors, sôn y mae bob amser am ddillad gwerin yr oesoedd cynharach. Am y ffasiynau hyn 'pan oedd Bess yn teyrnasu', gw. Geraint Dyfnallt Owen, *Elizabethan Wales* (1962), 42-4, lle dangosir bod y darlun a gynigir gan Jac Glan-y-gors a'i gymrodyr Saesneg yn cynnwys dogn hael o ramantiaeth. Fel y nodir yn y rhagymadrodd, daeth canu i'r hen amseroedd gynt a gwrthgyferbynnu eu dillad plaen – yn enwedig ffasiynau'r merched – â rhodres y bedwaredd ganrif ar bymtheg yn gyffredin ymhlith y baledwyr Cymraeg.

crysbas: Crysbais. Crys o wlanen neu gôt fer, laes, o wlanen.

'nherpan: Hanerpan, hanner-pan; brethyn wedi hanner ei bannu. Efallai fod yr ystyr ffigurol – hanner call, gwirion, twp – yn awgrymu bod mymryn o eironi yn y darlun o'r hen Gymry fel pobl hollol ddifalch a chwbl fodlon ar eu byd. Awgryma'r cwpled sydd yn cloi'r gerdd nad oedd y prydydd yn hollol o ddifrif wrth ddarlunio'r cyfnod gynt.

carol gwyliau: Gwedd bwysig ar ganu rhydd yr ail ganrif ar bymtheg a'r ddeunawfed ganrif oedd y cerddi a genid ar wyliau traddodiadol yr Eglwys – Carolau Pasg,

Calan Mai, Gŵyl Fair (gw. uchod Rhif X) a Charolau Haf, heb sôn am Garolau Nadolig.

cyn cychwyn i Gaerwys: Cyfeiriad at Eisteddfod Caerwys, 1567, pryd y rhoddwyd trefn ar reolau Cerdd Dafod a Cherdd Dant.

lledgroes: Lletgroes, yn groes, yn elyniaethus.

englyn . . . proest cadwynog: Englyn pedair llinell o saith sillaf yr un a'r llinell gyntaf yn proestio â'r llinell nesaf ati ac yn odli â'r drydedd, a'r ail â'r bedwaredd yr un fath. Gallai Glan-y-gors lunio englyn unodl union a chynganeddu ar fesur rhydd, ond yn wahanol i'w gyfeillion, Bardd Nantglyn a Siamas Wynedd, nid oedd ganddo fawr o ddiddordeb yn y canu caeth.

yn gyfochrog: Math o ailadroddiad crefftus oedd cyfochraeth, sef cydosod neu wrthosod yr un meddwl mewn barddoniaeth. Dyma un o'r ffigurau ymadrodd a drafodir gan John Morris-Jones yn *Cerdd Dafod*, 72-3.

twrch: Mochyn, yn enwedig mochyn wedi'i sbaddu, un o hoff enwau difrïol Glan-y-gors ar rywun annymunol.

twyll y cyllyll hirion: Dyma'r chwedl a welir gyntaf yn *Historia Brittonum*, am y Sacsoniaid dan Hengist yn gwahodd Gwrtheyrn a thri chant o arweinwyr eraill y Brythoniaid i wledd ac wedyn yn eu lladd yn fradwriaethus â'u cyllyll hirion. Yr oedd y chwedl hon yn fyw iawn yn y ddeunawfed ganrif. Gallai Glan-y-gors fod wedi darllen yr hanes yn llyfr Theophilus Evans, *Drych y Prif Oesoedd* (1716, 1740). Haerodd Theophilus Evans iddo weld un o'r cyllyll hirion.

Boed eto . . .: Y cwpled hwn sydd yn cloi'r gerdd mewn rhai fersiynau. Ailadroddir y byrdwn yn y fersiwn o'r gerdd yng nghasgliad Carneddog.

XV

Yr Hen Amser Gynt

Tôn: Auld Lang Syne

Fy mrodyr serchlon, gwiwlon go',
Ni glywsom, ar ein hynt,
Gan ein henafiaid, lawer tro,
Am ddull yr amser gynt.

Byrdwn: Gwnawn gofio'r amser gynt fy ffryns,
A'n troeon ar ein hynt ;
O! yn fy myw, ni fedraf lai
Na moli'r amser gynt.

Diniwed iawn eu dull a'u modd
Yn cyd-fyw ar bob hynt;
Ac O! mor hael cyfrannent rodd –
Yr hen drigolion gynt.
Gwnawn gofio, &c.

Nid oedd dim angen bwyd na bîr,
Nac aur yr amser gynt;
Ond pawb yn gefnog ar eu tir
Eu hunain ar bob hynt.
Gwnawn gofio, &c

Yr oeddynt hwy yn byw'n gytûn,
Cymdogol iawn bob hynt;
O! na chawn ddrych wnâi dangos llun
A dull yr amser gynt.
Gwnawn gofio, &c.

Ond trecha' treisied, gwaedded gwan,
  Yrŵan sydd ar hynt;
A thwrf a llid mewn tref a llan
  Nid felly'r amser gynt.
        Gwnawn gofio, &c.

Mae Siôn wenieithus, dafod flith,
  Yn frenin mawr ei hynt;
A llawer pla sy'n awr i'n plith,
  Nad oedd yr amser gynt.
        Gwnawn gofio, &c.

Am angenrheidiau'r bol a'r cefn,
  O! na ddilynem hynt;
Ein bwyd a'n gwisg, yr unrhyw drefn
  Â'r hen drigolion gynt.
        Gwnawn gofio, &c.

Eu gwisg oedd frethyn tew a chlyd,
  Yn harddol iawn bob hynt;
Ac O! mor gefnwych ar bob pryd
  Wynebent law a gwynt.
        Gwnawn gofio, &c.

Ond rhaid yn awr i'n meibion ni
  Gael *pantaloons* bob hynt,
A *monkey boots* a *long Q.P.*,
  Nad oe'nt yr amser gynt.
        Gwnawn gofio, &c.

Y merched wisgent wlanen lwyd,
  A chapiau lliain gynt,
Ac nid rhyw degan, dyllog rwyd,
  Â ymaith gyda'r gwynt.
        Gwnawn gofio, &c.

Mae Cadben Balchder, ffrom ei wep,
Yn uchel iawn ei hynt,
Y pen-guwch mawr a'r traed glep-glep,
Nad oe'nt yr amser gynt.
Gwnawn gofio, &c.

'Doedd cyflog morwyn Guto 'nhaid
Ond chwe swllt gyda phunt;
A chadwai Dol fai'n angenrhaid
I'w chynnal ar bob hynt.
Gwnawn gofio, &c.

Mae cyflog morwyn Master Dean
Eleni'n ddeuddeg punt;
Ac wele hwynt o gylch Miss Jane
Yn sio yn y gwynt.
Gwnawn gofio, &c.

Mae'n rhaid cael *crimping jack* yn awr,
A *curling tongs* bob hynt,
A phlethu gwallt, gwneud dau gorn mawr,
Ail dylluanod ynt.
Gwnawn gofio, &c.

Ac ysnodennau *white and blue*,
Green, yellow hue, bob hynt;
Y gwnânt rosynnau amryw liw
I chwarae yn y gwynt.
Gwnawn gofio, &c.

Daeth Polly Shaw a'i chyrls a'i chêr,
A'i ffrils a'i phlu'n y gwynt;
Meddyliais wrth weld blodau'r sêr
Ei bod yn werth can punt.
Gwnawn gofio, &c.

She wore a shawl bright shining shade,
And crimson dashing chint,
With rosy head, quite neatly made,
To parade her fancy print.
Gwnawn gofio, &c.

Pan glywais hyn, mi roddais floedd,
Yn erchyll flin fy hynt,
Gan ddweud, "Wfft, Pol, nid felly 'r oedd
Benywod Cymru gynt."
Gwnawn gofio, &c.

'Doedd fawr o sôn am *long shawl* Siân
Sy'n costio gryn dair punt;
Clocs a bacsau a dillad gwlân
Oedd yn yr amser gynt.
Gwnawn gofio, &c.

A'u bwyd oedd gig a chaws (pa well?),
Llymru ac uwd ar hynt;
Ac nid trwyth deiliach India bell
Sy'n treulio llawer punt.
Gwnawn gofio, &c.

Yr oedd fy hendaid, Gwalchmai'r Graig,
A Gwen, ei wraig ar hynt,
Yn cadw llys a melys saig
I'r hen brydyddion gynt.
Gwnawn gofio, &c.

Croesawus oeddynt yn eu tai,
A haelwych ar bob hynt;
Am lawer peth ni fedraf lai
Na moli'r amser gynt.
Gwnawn gofio, &c.

Wrth weld plant Cymru, rif y sêr,
A'u pennau yn y gwynt,
Chwaraeodd tant fy awen bêr
Ar gainc yr amser gynt.
Gwnawn gofio, &c.

Am fod mor hy â dweud y gwir,
Maddeuwch im bob hynt;
Gobeithio gwelaf chwi cyn hir,
Ar ddull yr amser gynt.
Gwnawn gofio, &c.

Auld Lang Syne: Yr hen amser gynt yw union ystyr yr ymadrodd. Ar y gorau, ambell adlais gwan o gerdd enwog Robert Burns a geir yng ngherdd y Cymro. Defnyddiodd Glan-y-gors y dôn Albanaidd ond aeth i gyfeiriad gwahanol yn ei gerdd ef.

tafod flith: Llaethog yw ystyr yr ansoddair 'blith'. Yn ffigurol, elw, mantais, yw ystyr yr enw.

pantaloons: Trowsus tyn. Gw. Rhif I.

monkey boots: Esgidiau gydag ochrau uchel.

long Q.P.: 'Quiff' oedd 'Q.P.', blaengudyn o wallt. Gwneud 'Q.P.' oedd cribo'r gwallt yn ôl, yn lle gadael iddo ddod i lawr dros y talcen. Yn nes ymlaen, soniodd Gwilym Hiraethog yn *Cyfrinach yr Aelwyd* (1878) a Daniel Owen yn *Rhys Lewis* (1885) am grefyddwyr yn ymosod ar wneud 'Q.P.' fel arwydd o falchder anfaddeuol. Yn stori Daniel Owen, 'Y Gweinidog', yn *Straeon y Pentan* (1881), dywedir bod yr hen flaenoriaid yn amharod i dderbyn James Lewis yn aelod am 'ei fod yn troi ei wallt oddi ar ei dalcen ac yn rhoi oel ynddo . . . yr oedd ganddo *Q.P.*'.

Cadben Balchder: Yn hen gyfundrefn y Saith Pechod Marwol, balchder yw'r capten, y mwyaf o'r pechodau, am mai balchder oedd achos cwymp Lusiffer a chwymp dyn. Ys dywedodd Twm o'r Nant yn ei anterliwt *Tri Chryfion Byd* (1789):

Trwy lais a pharabl Lucifferaidd,
Balchder egraidd lygraidd lid,
Daeth gwraidd ac effaith grwn
Y gofid hwn i gyd.

Yn *Y Farddoneg Fabilonaidd* (1768), o waith Twm, merch yw balchder a 'chwi sy'n mlaena" medd Pleser amdani.

penguwch: Penwisg merch, gwimpl, twrban.

crimping jack: Offeryn a ddefnyddid i grychu'r gwallt yn fân blygiadau neu blethiadau, yn hytrach na'i gyrlio.

gwneud dau gorn mawr: Dyma'r ffasiwn o godi'r gwallt yn ddwy aden o boptu'r pen, y 'staring wings' fel y'u gelwid; 'ail dylluanod', meddai Jac, fel tylluan gorniog. Gallai ffasiynau *coiffure* yn ail hanner y ddeunawfed ganrif fod yn wir ffantastig. Byddai rhai merched yn rhoi pob math o addurniadau yn eu gwallt, blodau, ac mewn un achos, model o long ryfel. Gallai llygod nythu yn y gwalltiau mawr hyn a gwneid busnes llewyrchus o werthu trapiau llygod o waith cywrain i'w rhoi ar y gobennydd wrth fod y ferch ffasiynol yn cysgu.

ail: Fel.

ysnodennau: Rhubanau, bandiau.

cêr: Taclau dibwys, pethau diwerth.

She wore a shawl: Dechreuodd sioliau ddod yn ffasiynol yn ystod wythdegau'r ddeunawfed ganrif. Gwisgai Polly siôl o 'chint' (*chintz)*, sef *calico*, defnydd o gotwm wedi'i brintio'n lliwgar.

llymru: Blawd ceirch wedi'i drwytho mewn dŵr neu laeth enwyn nes iddo suro, a berwi'r trwyth. Dywedir mai benthyciad o'r Gymraeg yw'r Saesneg 'flummery'.

trwyth deiliach India bell: Te. Mae'n amlwg fod Glan-y-gors o'r farn fod te yn dal yn ddiod ddrud pan ysgrifennwyd y gerdd hon, er bod y pris yn gostwng yn ail hanner y ddeunawfed ganrif ac yfed te yn dechrau dod yn arfer mwy cyffredin.

XVI

Cerdd y Cymreigyddion

Tôn: Calon Derwen/Glan Meddwdod Mwyn

Dowch, Gymreigyddion, y Brython da eu bri,
I gofio eich hen deidiau da raddau di-ri';
Rhaid i chwi gydnabod, bob aelod yn bur,
Nad ydyw gwag redeg coeg Saesneg ond sur,
Plant Gwynedd da eu rhyw, mae llwyddiant i'n Llyw,
I gadw ein harferion tra byddom ni byw.

Byrdwn: A d'wedwn i gyd, hardd frodyr un fryd,
Ein hiaith a barhao, a llwyddiant a'i cadwo,
Heb loes trwy bob oes, tra bo byd.

Byddwn yn unfryd, pob gwynfyd a gawn,
I addurno ag addysg, heb derfysg, bob dawn,
Ein meddwl yw cynnal ar ein dadl bob dysg,
Heb ddynion aflonydd, gwan eu 'mennydd, i'n mysg;
Pob dyn a fo doeth, gâr yn iawn y gwir yn noeth,
Mae'n harddach na'r celwydd mewn gwisg o aur coeth.
A d'wedwn i gyd, &c.

Pwy ddichon draethu neu haeru ar ei hynt,
Mor wychol oedd moddau'r hen gampau wnaed gynt,
Cadw trwy ryfel yr hoedel o hyd,
A churo ar filwriaeth holl beniaeth y byd.
Er cyni o fyd caeth, ni byddem ddim gwaeth,
Yr hen Gymry c'lonnus oedd drefnus ar draeth.

Aeth Madog heb dra, a'i ddyfais oedd dda,
Hyd wyneb y dyfroedd, ei lestr a hwyliodd,
Trwy nerth y moroedd certh, i'r America.

Ac eto yn rhai gwychol, mae buddiol ein bod,
Hiliogaeth glân Cymru yn glynu yn y glod,
Ni chollwn mo'n breintiau, tros chwarae tro chwyrn,
Fe ŵyr ein gelynion fod ganddon ni gyrn;
Gan hynny ar bob taith, amddiffynnwn ein hiaith,
Pwy sydd yn amheuol nad gwychol ein gwaith?
A d'wedwn i gyd, &c.

Dowch, Gymreigyddion: Cenid y gerdd hon wrth dderbyn aelod newydd i Gymdeithas y Cymreigyddion, a sefydlwyd yn 1794 ac a arhosodd yn fyw tan 1840. Yr oedd y bardd yn un o'r sylfaenwyr a lluniodd y gerdd yn 1796. Amcan y Cymreigyddion oedd hyrwyddo cyfeillgarwch a chymdogaeth dda ymhlith y Cymry a choleddu'r Gymraeg trwy gynnal dadleuon ar bynciau o bwys, fel y crybwyllir yn yr ail bennill. Yr oedd Cymdeithas y Gwyneddigion yn dal yn fyw pan sefydlwyd hi, ac yr oedd rhai o'r Cymreigyddion yn aelodau o'r ddwy gymdeithas – ond cymdeithas fwy gwerinol a bohemaidd oedd y Cymreigyddion. Arferent gwrdd mewn gwahanol dafarndai yn Llundain, yn cynnwys tafarn Glan-y-gors, y King's Head, Ludgate Hill. Mynnai'r sylfaenwyr na fyddai dadlau ar bynciau crefyddol a gwleidyddol, ond nid felly y bu. A dengys cerdd ddigrif, ddi-deitl, Hugh Maurice (1775-1825) nad oedd yr hwyl a'r miri yn dod i ben ar ddiwedd y cyfarfodydd (gw. E. G. Millward, 'Cymdeithas y Cymreigyddion a'r Methodistiaid' *Cylchgrawn Llyfrgell Genedlaethol Cymru*, XXI (Haf, 1979), 103-110. Wedi marw Glan-y-gors, dechreuwyd cynnal darlithiau ar bynciau gwyddonol a phynciau amrywiol eraill. Yn gynnar yn nhridegau'r bedwaredd ganrif ar bymtheg, cyhuddwyd y gymdeithas o fod yn glwb gwleidyddol, gwrthfrenhinol, e.e. gan Einion Môn (John Lloyd, 1792-1834), yntau'n aelod o'r Cymreigyddion, ar ôl darlith gan Gaerfallwch yn beirniadu'r teulu brenhinol. Cyn bo hir troes blas ar fyw a dadlau bywiog y genhedlaeth gyntaf yn barchusrwydd ac uchel ddifrifwch Victoraidd, er gwaethaf ymdrechion Talhaiarn i'r gwrthwyneb.

Cyhoeddwyd y gerdd gan Vaughan Griffiths, 1 Paternoster Row, Llundain, gydag anerchiad gan Edward Charles yn datgan egwyddorion y Cymreigyddion:

> Bydded hysbys i'r Cymry oll, mai amcanion ac ewyllys y Gymdeithas hon ydyw ymgyfarfod i gynydd gwladol a brawdol gyfeillgarwch, ac i arferu a choleddu yr hen dafod-iaith Gomer-âeg, yr hon, medd yr hynod ddysgawdwr Abad Pezron, sydd yn y byd er pan adeiladwyd Tŵr Babel. Y mae'r Gymdeithas hefyd yn ymgyfarfod yn awyddus, er mwyn gwellhau a gloywi gwybodaeth y naill a'r llall, fel ag y byddont hwylusach yn eu holl alwedigaethau cyhoeddol a neilltuol.
>
> Y mae'r Gymdeithas ar feddwl dysgu ac athrawiaethu'n Gymreigedd, hyd eithaf ei gallu, ddyledswyddau dynolryw, ac i ymwrthod â dichell-gynen a

gormodedd, a gwarafun eu gilydd, rhag arferyd ymddiddanion drwg, yr hyn a lygra foese da. Hollol feddwl y Gymdeithas ydyw, ymofyn am wybodaeth buddiol. Chwilio ac arloesi anghallineb o'u plith. Annog eu gilydd i ymddwyn yn y byd yn rhesymol a chymedrol. Parchu y neb a fo'n haeddu parch; ac argyhoeddi a sennu y neb a fo yn ei amharchu ei hun ac eraill.

Nid oes i ni y Cymry, yng nghanol Dinas Llundain, ond estroniaid i'n golwg, a'u hestroniaith i'n clyw; ond pan ddelom i'r Gymdeithas Gymreigyddol, dyna'r hen genedl yn ddigymysg a'r hen-iaith gysefin ar dafod pob un o honom; ac yn cael ei thraethu yn hylithrach, yn well, yn berffeithiach, nag yn unlle arall o fewn ynys Prydain.

Os bydd y Cymry sydd yn Llundain, yn cyduno â'r athrawiaeth hon, deuant yno; ac os byddant i'n chwennych, ac i'r Gymdeithas feddwl eu bod yn gymmwys, ac i rywun eu cynyg, ac iddynt gael eu dewis yn ôl trefn y coelnode (*balloting*) yna y derbynir ac y cydnabyddir hwynt yn deilwng Gyfeillion yn Nghymdeithas y CYMREIGYDDION.

c'lonnus: Calonnus, calonnog, dewr.

Aeth Madog heb dra: Madog ab Owain Gwynedd, tywysog o'r ddeuddegfed ganrif, a hwyliodd ar draws Môr Iwerydd, yn ôl y chwedl, gan lanio yn Mobile Bay, Alabama. Dyma ddarganfod America ymhell o flaen Christopher Columbus. Daw'r 'hanes' hwn i'r golwg yn yr unfed ganrif ar bymtheg a chafodd gylchrediad eang yn y ddeunawfed ganrif. Credai llawer fod llwyth o Indiaid, Mandaniaid North Dakota (bellach), yn medru Cymraeg a'u bod yn ddisgynyddion i'r morwyr o Gymry ac aeth gŵr ifanc o'r Waun-fawr, John Evans (1770-99), i ymweld â hwy. Evans oedd un o'r ddau ŵr gwyn cyntaf i deithio i fyny Afon Missouri am bellter o bron ddwy fil o filltiroedd. Treuliodd amser ymhlith y Mandaniaid heb gael prawf eu bod o dras Gymreig. Ceir gan haneswyr diweddar sawl dehongliad o arwyddocâd y chwedl am Fadog. Un ohonynt yw mai cais ydoedd i sefydlu hawl Elizabeth I ar y Byd Newydd yn yr unfed ganrif ar bymtheg. Mae'n amlwg fod y chwedl yn destun balchder i Jac Glan-y-gors ac yn foddion i godi statws Cymry'r ddeunawfed ganrif.

XVII

Awdl Newydd

sef sylw byr ar Eisteddfod Caerwys, yr hon a gynhaliwyd (trwy archiad ac ar draul y Gwyneddigion) y 29 o Fai 1798.

Mae gen i ryw fugad, tebyg i ganiad,
Os rhowch i mi gennad, mi af trwyddi yn gymwys,
A thestun fy nyri ddigwyddodd eleni,
Y beirdd aeth yn gewri i ymladd i Gaerwys,
A meddwl y cyfarfod oedd cynnal eisteddfod,
Hen arfer hynod – chwi wyddoch yr hanes –
Sef yn amser Bessi y cadd y beirdd eu codi,
A llawer yn delwi, o brydyddion diles.
Dydd Mawrth y Sulgwyn yr agored y testun,
I edrych wrth gychwyn pwy oedd y gwycha'.
A phawb yn ymgodi, a'i dwrw mewn dyri,
Heb neb yn sylwi mai fe oedd y sala'.
Dechreuwyd yn sydyn ganu efo'r delyn,
A rhai yn ei chalyn, fyddai'n arfer ei choledd,
Ac un dyn ffyrnig, yn feddw gythreulig,
Pan glywodd e fiwsig, yn ei chalyn â'i fysedd,
'Roedd pawb yn dondio, heb neb yn gwrando,
A'r beirdd yn ymbrocio o eisio cael breci.
'Gosteg y bobol', ebr rhyw ddyn synhwyrol,
'Aiff y beirdd yn anfuddiol os cân nhw ddiod i feddwi.
Ni bydd yma ddim canu os ewch chwi i draflyncu,
Bydd rhai yn gweflgamu heb fod yn gymwys.'
Ebr rhyw fardd hanner meddw, 'Mae 'ngheg i yn ulw,
Oni lusgwch chwi gwrw mi losgaf fi Gaerwys.
Rhaid i mi gael diodach neu mi awn yn bruddach,
A'r awen yn salach, daliwch chwi sylw,
Os gwnawn ni ganiad yn ôl y testuniad

Rhown ein bwriad a'n cariad ar y baril a'r cwrw.'
'Roedd yr araith mor eirwir a'r testun mor gywir,
A phob un yn sicir, byddai raid cael sucan.
Cytunodd y dyrfa i bawb gael eu gwala,
Nid oedd yno gopa yn erbyn y gwpan.
Ar ôl hyn o gyffro cwrw ddôi yno,
A llawer am wancio, yn neidio hyd y meincie,
Heb ddiod ers deufis, yn gwthio mor ddibris,
On'd oedd llawer o'r *ladies* ymron torri'u 'lode.
Yna daeth twrw a'r beirdd yn dal sylw,
Melyn yw'r cwrw, ni a'i molwn mewn carol,
A rhai wedi llyncu yn eiste' i brydyddu,
A'u 'mennydd yn cynnu a minnau'n eu canol.
Rhai yn myfyrio a'u papurau yn nofio,
A'r ddiod yn llifo a phawb am ei llyfu.
Mae'r beirdd cyn wyched erioed am yfed,
Ond yfodd y personied on'd oedd y beirdd wedi synnu.
Ar ôl hyn dyma ffwndwr, achos dau delyniwr,
Ac anferth o gynnwr', pwy a gâi ganu.
'Bob yn ail mae'n ore', ebr rhyw ddyn o'i eiste',
'Gwrandewch ar danne, peidiwch ag ymdynnu'.
'Roedd Telyniwr Gwtherin yn ddig anghyffredin,
A llawer o'r fyddin yn chwennych ei foddio,
A'r lleill waedde mewn cynnwr', 'Newidiwch y cerddwr,
I lawr, delyniwr, cyn cael dy lainio'.
Aeth Dic Aelwyd Brys i fyny'n lled hwylus,
Ac a ganodd yn ffwdanus, on'd oedd pawb ymron dwyno.
Bu yno gymaint o gynnwr' wrth newid y telyniwr,
Oni frefodd y Gwydrwr fel llo amser godro.
Ac yn hyn o fwstwr dyma offeiriadwr,
Sef mab i ryw gribwr, yn lluchio ata' grabas.
Y gwalltwr yn gwylltio, a'i 'wyllys am fy eillio,
O ran mod i'n darnio llywodraeth y deyrnas.
'Heddwch', ebr finne, 'Y gwir ydyw'r gore,
Peidiwch â bod yn syre o achos y *Seren*,
Gwagedd yw ymgegu o achos degymu,
Gwrandewch ar y canu yn lle codi cynnen'.

'Chware teg i ddyn Llunden', ebr rhyw ddyn milen,
'Mi weles i'r *Seren*, ni wiw i chwi mo'r siarad.
Mynd ym mhen dyn dieithrol yng nghanol y bobol
Sydd dro anfedrusol, mi rof i chwi dresiad'.
Ar ôl hyn o eirie aeth pawb i'w tylle,
A'r offeiriad a minne a droes yn rhai mwynion.
A gwell i ŵr bonheddig, yn lle mynd yn ffyrnig,
Fod yn ddyn diddig ymysg y prydyddion.
'Roedd yno rai trefnus, yn ymddwyn yn weddus,
Uwchben y rhai barus, fel ŷd wedi ei buro.
A'r lleill yn rhedeg i ganol eu Saesneg,
I wawdio'n gywreindeg, a minnau yn gwrando.
'Oh! Shocking! What very bad singing,
Confound their meeting, get drunk is their motto.
Look there, ladies, on the bard had monies,
How stupid & foolish is the look of that fellow'.
Y Nant ddarfu gilio, ni ddaeth e ddim yno
Rhag ofn iddo daro wrth bechaduried.
Mae'r beirdd ymron wylo wrth weled eu hathro
Yn cymryd ei dwyso gan y Methodistied.
'Roedd y cwbl yn fwynedd, o'r dechre i'r diwedd,
A phawb yn y cyrredd, yn ymadael mewn cariad,
Llwyddiant awenydd, rhwydeb i brydydd,
Mwyfwy fo cynnydd pob perchen caniad.

Awdl Newydd: Fel y gellir gweld, nid awdl yn y mesurau caeth mo'r gerdd hon, ond 'awdl' yn nhraddodiad cerddi'r glêr, fel 'Owdl y Gath' gan Robin Clidro yn yr unfed ganrif ar bymtheg a rhai diweddarach fel 'Awdyl yr Haf' gan Edward Morris yn y ganrif nesaf. Canai Robin Clidro ar fesur y daethpwyd i'w adnabod fel 'mesur Clidro', a sylfaenwyd ar y. gyhydedd hir, heb gynnal prifodl, gyda chlec gynganeddol neu gyflythrennol rhwng y trydydd cymal a'r llosgwrn. Ac y mae cerdd Glan-y-gors yn y traddodiad Clidroaidd hefyd o ran ei digrifwch bras a'r manylu afieithus ar hwyl a helynt yr eisteddfod. Fel y nododd Glan-y-gors yn yr is-deitl, eisteddfod a gynhaliwyd dan nawdd Cymdeithas y Gwyneddigion yn Llundain oedd Eisteddfod Caerwys. Bardd Nantglyn, a fyddai'n symud cyn bo hir i Lundain (gw. Rhif X), a enillodd am awdl ar y testun 'Cariad i'n Gwlad drwy Adgyfodiad yr Hen Eisteddfod a Defodau Cymru'. Yr oedd yno ugain o feirdd, deunaw o gerddorion a deuddeg o delynorion. Os gellir credu Glan-y-gors cafodd pawb flas mawr ar yr achlysur.

bugad: Twrw, baldordd, rhuad, brefiad.

dyri: Cerdd acennog ar fesur rhydd ac ynddi weithiau gyffyrddiadau cynganeddol.

yn amser Bessi: Cyfeiriad at ail Eisteddfod Caerwys, 1567, a gynhaliwyd yn ystod teyrnasiad Elizabeth I.

delwi: Yr ystyr yma, mae'n debyg, yw cywilyddio.

calyn: Canlyn.

dondio: Tafodi, ac ystyron eraill, gw. Rhif II.

ymbrocio: Mewn poen, curo gan boen.

breci: Cwrw newydd heb eplesu.

gweflgamu: Gwneud ceg gam mewn gwawd, tynnu wynebau.

sucan: Llymru. Hefyd, gwin gwan, diod fain.

gwancio: Llyncu'n awchus.

cynnu: Cwnnu, cyffroi.

ymdynnu: Cystadlu.

Telyniwr Gwtherin: Y telynor gorau, Pencerdd Dant, yn yr eisteddfod oedd William Jones, Gwytherin, enw pentref a phlwyf yn Sir Ddinbych. Protestiodd Dic Aelwyd Brys yn groch yn erbyn y dyfarniad hwn, 'ac am hynny y bu gryn gynwrf yn yr eisteddfod'. Gw. Robert Griffith, *Llyfr Cerdd Dannau* [1913], 243.

lainio: Leinio, curo, rhoi cweir i rywun.

Dic Aelwyd Brys: Richard Roberts, Aelwyd Brys, Cerrigydrudion. Yr oedd yn Ddisgybl Pencerdd Dant yn yr eisteddfod. Gwelsom iddo fod ym mhriodas Siencyn Morgan (gw. Rhif X) ac iddo wneud ei gyfraniad ei hun i helynt Eisteddfod Caerwys trwy ddilorni'r beirniaid am nad urddwyd ef yn Bencerdd Telyn. Griffith, op. cit., 185-6.

dwyno: Diwyno, difwyno, gwneud yn ddiwerth neu yn ddiddim.

y Gwydrwr: Robert Foulkes (1743-1841), gŵr o Lanelwy, cerddor a gwydrwr wrth ei alwedigaeth. Ef oedd 'Pencerdd Cerdd Dafawd' yr eisteddfod, y buddugwr ar ganu gyda'r tannau. Gw. Griffith, op. cit., 202; *Y Bywgraffiadur Cymreig*, 251.

offeiriadwr: Ni wn pwy oedd yr offeiriad hwn. Ymddengys ei fod yn fab i ryw farbwr, 'cribwr' a 'gwalltwr', meddir. Nid Gwallter Mechain, y bardd a'r offeiriad ydoedd; nid aeth i'r eisteddfod.

Peidiwch â bod yn syre: Peidiwch â mynd ar gefn eich ceffyl, peidiwch â cholli'ch tymer.

y *Seren*: Llyfr Glan-y-gors *Seren Tan Gwmmwl* (1795), lle mae'n ymosod ar y frenhiniaeth, gorthrwm llywodraethau anghyfiawn a thalu'r degwm i Eglwys Loegr. Mae'n amlwg fod y gwaith yn dal yn bwnc llosg dair blynedd ar ôl ei gyhoeddi.

tresiad: Curfa, crasfa, cweir.

the bard had monies: 'The bard so moonish' a geir mewn copi arall o'r gerdd.

y Nant: Twm o'r Nant (Thomas Edwards, 1739-1810), y bardd a'r anterliwtiwr. Fe'i graddiwyd ymhlith y 'Discyblion Penceirddiaid' yn ei absenoldeb; fel y dywed Glan-y-gors, 'ni ddaeth e ddim yno'. Cyfansoddodd awdl o ryw 450 o linellau ar

'Cariad i'n Gwlad' a roddwyd yn ail i awdl fuddugol Bardd Nantglyn. Dyma ran arall o helynt yr eisteddfod. Mewn llythyr at Wallter Mechain, 14 Mehefin 1798, dywedodd Owain Myfyr fod llawer o'r beirdd yn 'tyngu a rhegu mai Twm o'r Nant oedd pen bardd Cymru oll'. (LlGC 1806E). Diddorol gweld bod Glan-y-gors o'r farn fod y Methodistiaid yn dwyn dylanwad ar yr anterliwtiwr.

twyso: Tywys, arwain.

rhwydeb: Rhwydd-deb, llwyddiant, ffyniant.

XVIII

Dydd Ympryd

A new Scandinavian Welch Hymn for the Fast Day

Cofiwch wisgo wyneb prudd,
  Dyma y dydd ymprydio,
I bob dyn llwm ag wyneb llwyd,
  Heb ganddo fwyd i'w ginio.

Nid ympryd gweddi gyda'r gwan,
  Na gŵyl o ran yr enaid,
Ond dydd a wnaed wrth ganu'n iach
  Gan ychydig bach o gnafiaid.

Ni wiw gweddïo fewn un llan,
  Heb arian yn y borau,
Rhag daw'r trethwr ar eich gwar
  Cyn codi oddi ar eich gliniau.

Rhowch weddi yn eglwys pob rhyw blwy',
  Rhag talu mwy o drethi;
Wrth gynnal gwŷr i dywallt gwaed
  Mae rhai dan draed yn gweiddi.

Ein tirion arglwydd frenin Siôr
  Pia y môr a'r pysgod;
A Boni'n rheibio, wrth herio'n hir,
  (Ond Lloeger!) y tir a'r llygod.

Trwy ddichellion llid a brad,
  Ni chawn ni â'n gwlad farchnata;
Os yw pob porthladd wedi ei gloi
  Rhaid i ni droi i bysgota.

Y mae y Ffrancod mor ddi-ras,
  Yn ymddwyn yn gas mewn mannau;
Gwneir am gyflog weddi chwyrn
  Am dorri cyrn eu gyddfau.

Ni wrendy y nef ar weddi neb
  Am rwydeb mewn drygioni,
Nid oes un grefydd yn ein gwadd
  I ysbeilio, lladd a llosgi.

Gwae i ragrithwyr gerbron Duw,
  Er mwyn cael byw mewn braster;
Ni welant hwy mo'r nefoedd wen
  Pan ddelo pen eu hamser.

Nid oedd wrth ddilyn arfau dur
  Ond poen a chur a ch'ledwch;
Chwychwi holl filwyr brenin Nef
  Gwnewch weddi gref am heddwch.

Cyfansoddwyd y gerdd hon yn 1809 ac fe'i gyrrwyd i'r *North Wales Gazette.* Gwrthodwyd hi gan y golygydd: 'y gŵr bonheddig cadnoaidd', meddai Glan-y-gors yn ddicllon. Cyhoeddwyd y gerdd yn *Cymru*, XV (1898), 110, wedi'i chodi, meddir 'o lawysgrif gan Henry Myllin'. Rhaid mai cellwair yr oedd y bardd wrth alw ei gerdd yn 'Scandinavian Hymn'.

y dydd ymprydio: Anodd gwybod at ba ddydd yn union y cyfeirir. Efallai mai Dydd Mercher y Lludw, y diwrnod cyntaf o'r Garawys, sydd dan sylw. Y Garawys yw'r deugain niwrnod hyd at noswyl y Pasg pryd y disgwylir i eglwyswyr dreulio'r amser mewn ympryd ac ymwadiad.
rhag daw'r trethwr: Cyfeiriad at dreth yr Eglwys, y degwm. Gw. Rhif XII.
Siôr: Y brenin Siôr III (1738-1820), a deyrnasodd 1760-1820.
Boni: Napoleon Bonaparte (1769-1821), ymherodr Ffrainc.
Os yw pob porthladd wedi ei gloi: Cyfeiriad at ryfel economaidd Napoleon yn erbyn Prydain. O 1806 hyd 1812 caewyd porthladdoedd Ewrop i longau Prydain, ac ymatebodd Prydain yn gyffelyb trwy gychwyn blocâd ar y porthladdoedd hynny.

XIX

Marwnad Owain Myfyr

Tôn: Trymder

Dyma drymder dyfnder dwys
O burlwys barch,
I'n poeni o rym ein pen erioed
A roed yn 'r arch.

Y mae ochneidiau moddau maith,
A galar mwy am Golofn Iaith,
A rhoddwr gwobr am y gwaith,
Barddoniaeth iawn!
Pa fodd y lluniwn ddim gwellhad
Wrth ymgeleddu iaith ein gwlad?
Nid call ein tôn, Ow! colli ein Tad,
Ymddifad ddawn.

Am ddeall llyfrau, gorau gŵr,
A gweithiwr gwych
I godi hen ysgrifen croen
Neu bapur crych.

E ŵyr awduron radlon ri,
Pa faint yn ffraeth a wnaeth i ni,
O'i fynd i'r gro mae arnom gri
Mal c'ledi clwy.
Ni ddaeth mewn modd tu fewn i'n mur
Drwy y bywyd un mor bur,
Ni welwn, cofiwn mawr ein cur,
Mo'r Myfyr mwy!!

Ni chlywir heno bibell fain
A'i sain mal swyn,
Dwl yw'r fan lle dylai fod
Y delyn fwyn.

Nid oes mwynder, pwy a'i medd?
Am dymor bach tu yma i'r bedd,
Caiff plant yr Awen lawen wledd
Mewn annedd nef.
Rhown ein tai bob rhai mewn rhôl,
Cyn mynd i ddalfa angau a'i ddôl,
Ein galw a wna heb gilio yn ôl,
I'w galyn ef.

Cyhoeddwyd y farwnad hon gyntaf yn y newyddiadur *Seren Gomer*, 15 Hydref 1814. Y teitl a welir yn *The Cambrian Register*, III (1818), 492, yw: 'GALARNAD CYMDEITHAS Y GWYNEDDIGION AM EU (*sic*) THAD, &C. *A Solemn Dirge to the Memory of Owen Jones, Esq. F.A.S. an eminent Furrier in Thames Street*, AND FOUNDER OF THE GWYNEDDIGION SOCIETY'. Y Myfyr oedd noddwr hael y Gwyneddigion a dysg Gymraeg yn y cyfnod hwn. Ef a dalodd am gyhoeddi gwaith Dafydd ap Gwilym (1789) a *The Myvyrian Archaiology of Wales*, I-III (1801-1807), dwy enghraifft yn unig o'i haelioni mawr. Bu'n llywydd droeon ar y Gymdeithas ac yn ysgrifennydd a thrysorydd. Canwyd y farwnad gan Jac Glan-y-gors yn y cyfarfod cyntaf o'r Gwyneddigion ar ôl marwolaeth Owain Myfyr ar 26 Medi 1814, yn 73 oed. 'The Dirge was received with *tears* of applause, while the Bard was evidently affected by his subject, and the mournful scene'. *The Cambrian Register*, III, 493. Gellir gweld copi hefyd yn *Cymru*, 46 (1914), 28-9. Ceir yn *Seren Gomer*, 3 Rhagfyr, 1814, 'Bugeilwawd Myfyr. Annerchiad caredig at Gymdeithas y Gwyneddigion, gan eu Cyfaill, B.C.'

XX

Priodasgerdd

Priodasgerdd Syr Robert Wm. Vaughan, o Nannau, ger Dolgellau, ac Ann Maria, merch Syr Roger Mostyn, Barwnig, o Fostyn, yr hyn a gymerodd le Medi 23ain, 1802.

Tôn: Duw Gadwo'r Brenin

Pwy ydyw'r llu sy gerllaw
Yn seinio drwy'r mynyddoedd draw,
Heb daw bob dyn?
Fflint a Meirion sy ar eu traed,
A'u rhai anwyla', gwycha' gwaed,
A wnaed yn un.
Nid rhyw Saesnes heddiw sydd
Yn codi'n ben er mwyn cael budd
Peniaeth Meirion, fun gain rydd,
Yn fwyn Gymraes.
Siglwch fryniau a thannau a thôn,
O dre'r Mwythig i ben Môn,
Y Marchog ddaeth â Lady Vaughan
I'w lydan faes.

Iawn gysondeb rhwng dwy sir,
Dan un wlad o gariad gwir,
A'i sicir saeth.
Llawer gŵr balch di-go'
Aeth ar frys ymhell o'i fro
I geisio gwaeth.
Beirdd gwlad Meirion ddoniau mawr,
Ewch â'ch caniadau i Nannau'n awr,
Cewch hen gwrw feddwa gawr,

Fel fyddai gynt.
Y telynorion oll a wnân'
Dynnu mêl o dannau mân,
Drwy bibau gwynt.

Geill y fun dawel, uchel ach,
Gynnal rheol ysgol bach,
Rhoi osgo byw
A dysg i blentyn llawer un,
Y ffordd a'r modd y dylai dyn
Addoli Duw.
Boed i'r rhain o bob mawrhad
I gael drwy glod hynod had,
I wneud daioni, gloywi'n gwlad,
Heb arnynt glwy'.
Pan ddêl etifedd o ran taith
Yn aer llon, wiwlon waith,
Mynnwn eto lunio maith
Lawenydd mwy.

Vaughan: Aelod o hen deulu Nannau, Sir Feirionnydd, oedd Syr Robert Williames Vaughan, yr ail farwnig (1768-1843). Cododd blas newydd yn Nannau, a bu'n aelod seneddol yn ddi-dor dros Feirionnydd o 1792 hyd 1836. Fel y rhan fwyaf o'i gymrodyr, yr oedd yn Dori rhonc (pleidleisiodd yn erbyn y 'Reform Bill', 1832), ond yn ffigur poblogaidd ac iddo'r enw o fod yn hael ac yn ffraeth. Canodd Dafydd Ionawr 'Cywydd ar Ddydd Etholiad Syr Robert Williames Vaughan, o Nannau, yn Seneddwr dros Swydd Feirion, 1807' gan ei alw yn 'ddethol rhinweddol ŵr' ac yn 'Llew Nannau'; gw. Morris Williams (gol.), *Gwaith Dafydd Ionawr* (1851), 327. Ceir rhai straeon difyr amdano yn yr ail ran o gyfres G. Price, Cors-y-garnedd, am hanes plwyf Llanfachreth yn *Cymru*, XXIX (1905), 88-90. Merch Syr Roger Mostyn (1734-96), pumed barwnig Mostyn, Sir Fflint, oedd Anna Maria, gwraig o gymeriad cryf. Bu farw yn 1858. Dywedodd Glan-y-gors iddo lunio'r gerdd ar 14 Hydref 1802.

peniaeth: Pennaeth, arweinydd.

i'w lydan faes: Yr oedd Vaughan yn berchen ar ystadau Nannau, Hengwrt, Ystumcolwyn a Meillionydd, bron 12,000 o aceri.

Pan ddêl etifedd: Yr 'aer llon' oedd Robert Vaughan (1803-59), y trydydd barwnig, a gyflwynodd lyfrgell gyfoethog Hengwrt yn ei ewyllys i W. W. E. Wynne, Peniarth.

XXI

Teulu Glyn Llugwy

Penillion i annerch Teulu Glyn Llugwy, Capel Curig

Tôn: Belisle March

Yr hyn sy genny' o'm haelioni
'Rwy' yn ei roddi'n rhwydd,
I annerch teulu sy'n Glyn Llugwy,
O ganu yn eu gŵydd;
Gan gael mewn gwiwlwydd gymydogion
Newydd glân ufudd yn y Glyn,
Gall fod tan obaith i'r gymdogaeth
Ryw helaeth fraint o hyn.
Hen noddfa fwyn a fu
I dylodion, lymion lu,
Gan amryw deulu a fu'n trigfannu
Yn hir heb gelu'n gu.
Tan obaith eto, er adfeilio,
Y caiff ei llwytho'n llawn,
A gwir haelioni a thosturi,
Boed i Dduw ddodi'r ddawn.
Blwyfolion dylion, dewch,
Tre Wydyr, ymgryfhewch,
'Does wybod eglur pa ryw fesur
O gysur eto a gewch.
Pan fo'n hanghenion wrth achosion
I drin materion tynn,
Geill fod yn sicir i chwi'n swcwr,
Gael gwladwr da'n y Glyn.

Boed gras a ffyniant, fanwl fwyniant,
Mewn llwyddiant ar eu lle,

A hwythau'n drefnus a boddlonus,
Dda foddus ynddo fe;
Mewn parch a chariad mawr gymeriad,
Pur rwymiad yn parhau,
Mewn llonyddwch a hyfrydwch,
Dedwyddwch, clydwch clau;
Boed gwlith y fendith fawr
Fel lli o'r nef a'r llawr
Yn dal i'w dilyn a'u hamddiffyn
Yn dynn bob munud awr;
Tan wir ofal rhagluniaethol
Y nefol, dwyfol Dad
Y bo nhw beunydd, gwlwm gwiwlwydd,
Pur hylwydd, mewn parhad;
Mae gwyriad hyn o gân
O glod i'r teulu glân,
Am eu moddion hylaw haelion
I fawrion ac i fân,
Gan fod yn barod farn cydwybod
Yn hynod dystio hyn,
Fe fydd yn orfod i bob tafod
Roi'r clod i deulu'r Glyn.

Gan im ddymuno gras yn groeso
I'w cyrff i dario ar dir,
Mi a ddymuna' i'w heneidiau
Gael gwledda eto'n glir;
Adnabod Iesu'n eu gwaredu,
A'u tynnu at y Tad,
Cael ffydd i fentro eu bywyd arno,
A cheisio ei wir iachâd;
Goleuni'r Ysbryd Glân
Fel niwl a cholofn dân,
Fo'n eu cyf'rwyddo i fywiol fywyd
O hyd yn ddiwahân,
I rodio grasol lwybrau nefol
Wrth reol Un a Thri,

Er mawl penodol, fodd ufuddol,
A chlod i'w freiniol fri.
Boed ysbryd Crist er braw
A'i gleddyf yn ei law,
I'w dysgu'n ffyddlon filwyr Seion
I droi'r gelynion draw,
Tan gadwraeth ei arfogaeth,
Dda syniaeth yn ddi-sen,
Y bo nhw'n trigo, 'rwy'n dymuno,
A Duw a'i mynno – Amen.

Teulu Glyn Llugwy: Fel hyn y disgrifiwyd y cartref yng nghyfnod cyfansoddi cân Glan-y-gors:

> In the parish [plwyf Betws-y-coed] also was Glyn Lugwy (*sic*), now a farm house on the Gwydir property, but formerly the residence of a powerful family celebrated by the bards for their hospitality and excellent liquour.
>
> Edmund Hyde Hall, *A Description of Caernarvonshire (1809-1811)*, ed., Emyr Gwynne Jones (1952), 132.

Canodd William Cynwal i Owain ap Rheinallt ap Meurig, Glyn Llugwy, a cheir cywydd gan Huw Machno (marw 1637) i Robert ab Owain ap Rheinallt, Glyn Llugwy. A barnu wrth gerdd Glan-y-gors, daethai diwedd ar y nawdd i feirdd erbyn diwedd y ddeunawfed ganrif. Moli 'gwir haelioni a thosturi' i'r tlodion a chrefyddolder y 'teulu glân' a wna.

XXII

Och Alarnad

Cerdd newydd, yn cwynfanu am William Jones o Gerrigydrudion, yr hwn a foddodd wrth fynd o Gaernarfon i'r Werddon, gyda chysur i'w deulu i beidio ag wylo ar ei ôl.

Tôn: Trymder

Och alarnad ganiad gaeth,
Trom hiraeth yw hon,
Wrth gofio William Jones a'i wedd,
Un lluniedd, llon,
Oedd fachgen heini wisgi wawr,
'Rwy'n llawn o gyni, aeth i lawr
I ddŵr y môr ar dywydd mawr,
Nid yw fe mwy.
Wrth fynd i'r Werddon, moddion maith,
O dre' Caernarfon, wiwlon waith,
Fe gafodd derfyn ar ei daith,
Dan glo faith glwy.

Nid llai nag wylo ar ei ôl,
Mae'i bobol heb wad,
Am gael o'i burlan wedd
'Run diwedd â'i dad;
Ei fam sy i'w chofio yn ddi-gudd,
Och! Wael ei bron a chalon brudd,
Yn nawsio dŵr bob nos a dydd
A'i grudd dan gri;
I'w holl chwiorydd, cystudd caeth,
Meddyliau trymion, union aeth,

Am fynd o'i agwedd fwynedd faeth,
I lawrdraeth li.

Mae anian natur ynom oll,
Ein coll bob rhai,
Trwy wylo ar ei ôl – anfuddiol,
Y mae'n fai;
Ond Duw sy'n rhoddi yn ein rhan,
Fel y mynno ym mhob man,
Rhai ânt yn llwch i lawr y llan,
A rhai i'r lli;
Mae Ef ar gefn y moroedd mawr
Yn bwrw'r sawl a leicia i lawr,
Rhyfeddol yw ei wyrthiau'n awr,
Rhy faith i ni!

Bod yn foddlon rwyddlon ran
A ddylan i Dduw,
Fel defaid er ei fwyn ar dwyn
I farw, i fyw;
'Rym ni wrth weddïo yn ddi-wad
Ar y nefol, ddeddfol Dad,
Yn deisyf 'wyllys Duw a'i rad
Ar y ddaear hon;
Gweddïo a ddylan ni'n ddi-wawd,
I amynedd Iesu gefnu'r cnawd,
Pan alwo Duw am chwaer neu frawd
I fynd ger ei fron.

Cymerwch gysur bybyr bwyll,
Neu gannwyll o'r gwir,
Trwy foddlonrwydd dedwydd da
Goleua i chwi'n glir;
Cewch weld drwy synnwyr, eglur yw,
Nid da bo alar brudd-der briw,
Yn erbyn 'wyllys dawnus Duw
Sy'n byw uwchben;

Er mwyn dy annwyl Fab trwy loes
Fu'n ein gwaredu ar y groes,
Gwir amynedd inni moes,
O Dad – Amen.

wrth fynd o Gaernarfon i'r Werddon: Gellir awgrymu mai gwasanaethu ar long yn cludo llechi i Iwerddon yr oedd William Jones pan foddodd. Erbyn 1730 yr oedd mwy na hanner y llechi o Sir Gaernarfon (a'r rhan fwyaf o'r rhain yn cael eu hallforio o Gaernarfon) yn mynd i Ddulyn. Wedi 1780 y daeth y galw mawr a thua diwedd y ddeunawfed ganrif yr oedd bron ddau gant a hanner o longau yn cludo llechi o borthladd Caernarfon cyn belled â gorllewin Iwerddon, de a dwyrain Lloegr, ac yn bellach fyth, i India'r Gorllewin.

Daeth canu marwnadau i forwyr a foddodd, yn enwedig llanciau ifainc, yn gyffredin iawn – e.e. 'Bedd y morwr' (Robin Ddu Eryri); 'Y Morwr mwyn, boddedig' (Gwenffrwd); 'Y Bachgen a foddodd yn ymyl y lan' (Glasynys); 'Y Llongwr bach' (Eben Fardd), i nodi dyrnaid yn unig – a'r rhain yn dangos pwysigrwydd morwriaeth a masnach y môr i Gymry'r ddeunawfed ganrif a'r bedwaredd ganrif ar bymtheg.

nawsio: Llifo allan yn araf; yma, yn drosiadol, crio ychydig o hyd.

A ddylan: A ddylem [ni]; gw. yn nes ymlaen: 'a ddylan ni'.

di-wad: Anwadadwy.

XXIII

Dwyfol Ymddiddan rhwng Merch a'i Thad

MERCH

Fy nhad, 'rwy'n gofyn eich cynghorion,
I fyw'n y byd wrth fodd eich calon,
Ac i was'naethu Duw'r uchelnef,
A chadw hardd fywoliaeth gartref.

TAD

Fy merch, os cym'ri genny' gyngor,
E fydd yn llawer gwell na thrysor,
A chofio amdano ar bob diwrnod,
Pan fyddwyf fi yng ngwaelod beddrod.

MERCH

Fy annwyl Dad, mi dreia' i gofio,
Er eich mwyn, tra byddwy'n rhodio;
Chwychwi a fedr fy addysgu,
I fyw yn rasol dan yr Iesu.

TAD

Dod dy weddi ar Dduw'r uchelder,
Am ei fendith ef a'i fwynder,
Fel y gallech fod yn ddedwydd
Yn y byd hwn ac yn dragywydd.

Na ddod dy fryd ar bethau mawrion,
Bydd ostyngedig yn dy galon;
Os byddi'n isel mewn mwyneidd-dra,
Felly cei dy barchu fwya'.

Na ddos i ymchwu'n rhy fon'ddigedd,
Nac i arferyd mewn oferedd;
A phaid â gwisgo gormod gwychder,
Ond fel y byddo'r wlad yn arfer.

Bydd drugarog wrth y tlodion,
Os bydd Duw yn trefnu'r moddion,
Fel y gelli dithau ennill
Rhad a bendith ar y gweddill.

Nac eistedd fawr i gyd-chwedleua,
Gyda'r llithiog wragedd llaetha,
Ni wna'r rhain ond hwylio cynnen,
Da ganddynt fagu pob cenfigen.

Na ddos i wrando gwag 'storïon,
Bydd mewn undeb â'th gym'dogion,
A chymer ofal, cyn dyhuno,
Am faddau i bawb fo yn dy ddigio.

Os wyt yn hardd mewn drych o lendid,
Ac yn canlyn cwrs o ieuenctid,
Gwylia wawdio am ben un Cristion
A fyddo'n onest ac yn union.

Cymer ofal ar dy eiriau
Rhag lladd undyn yn eu cefnau;
Bydd yn ddistaw mewn cwmpeini,
Haws cadw gair na'i atal wedi.

Os yw dy dynged i briodi,
A gŵr a phlant yn digwydd iti,
Dysg y rheiny mewn rhinweddau,
Fel 'rwyf fi'n dy ddysgu dithau.

Os y golud aiff i gilio,
Bydd di gwbl foddlon iddo;

Duw a biau dy holl gywaeth,
Rhaid bod yn foddlon i'w lywodraeth.

Cofia Job yn amser adfyd,
Fe gollodd blant a chyfoeth hefyd;
Ac er cymaint ei golledion,
Boddloni wnaeth i waith Duw cyfion.

Tro dithau at Dduw ym mlodau d'amser,
Cyn delo henaint mawr ei flinder,
Yr wyt mewn dyddiau pur ddedwyddol,
I chwilio'n ieuanc am ffordd nefol.

Dos i geisio gras i'r galon,
Cyn y delo dyddiau blinion,
Cofia am hyn, fy annwyl eneth,
Rho'is i ti gyngor yn gynhysgaeth.

MERCH

Diolch i chwi, 'nhad rhinweddol,
Am eich geiriau lleisiau llesiol;
Myfi a'u cadwaf yn fy nghalon,
I wasanaethu Duw a dynion.

Os daw yn unlle ddim gofynion,
Pwy a luniodd y cynghorion;
Mae'r dyn a'u canodd wrth ei amcan,
Heb wneud ohonyn' fawr ei hunan.

1787 yw'r dyddiad a geir ar daflen yn cynnwys y gerdd hon a gyhoeddwyd gan J[ohn]. Daniel, Caerfyrddin. Fe'i hysgrifennwyd, felly, cyn i'r bardd symud i Lundain. Yr is-deitl ar y daflen yw:

> Lle y mae yn ei chynghori i ymwrthod â Chwantau bydol, gan ei hannog i Gariad ac Elusengarwch, yr hyn Bethau sydd gymeradwy gan Dduw, ein gwrthddrych yn y Byd presennol, a'n Gobaith yn y Byd sydd i ddyfod.

Enw'r bardd yw 'IOAN JONES, *Glan-y-Gors*'. Nid oedd eto wedi ennill yr enw barddol a lynodd wrtho weddill ei fywyd. Yr oedd yn hoff gan feirdd ac anterliwtwyr y cyfnod ganu cerddi yn cynghori merched i fyw bywyd rhinweddol. Cyffredin hefyd oedd datgelu enw'r prydydd yn y pennill olaf. Y mae'r modd y mae Glan-y-gors yn gwneud hyn yn dangos fod anian y dychanwr yn dechrau aeddfedu ynddo. Yn wir, bron na ellir dweud bod y gerdd hon yn un o'r rheiny a enynnodd lid ei gyfeillion – gw. y gerdd nesaf.

ymchwu: Ymwychu, ymbincio.
llithiog: Hudol, dengar, 'wheedling'.
cywaeth: Cyfoeth.

XXIV

Gwrandewch, Brydyddion

Tôn: Ymadawiad y Brenin

Gwrandewch, Brydyddion union enw,
Rhai sydd yn siarad mewn naws arw,
Mae genny' ganiad, trwsiad traserch,
Trwy achwynion yrra' i'ch annerch;
Os cym'rwch yn garedig arna'
Mi wnaf adrodd orau y medra';
O na chawn ddoniol ddawn,
Mi wnawn yn llawn y leiniau,
Trwy oesol gariad asio geiriau
I chwi ddynion, uchel ddoniau;
Wrth imi yn hagr glaer glywed
Eger siarad a fesured,
A bod y wlad yn oer ei nad,
Ar doriad gwaradwyddus,
Yn darllen caniad bwriad barus,
Ynfyd leiniau anfodlonus.

'Rwyf fi'n anrhegu, canu cwynion,
Heb allu celu o 'wyllys calon,
Ellis a William ddinam ddoniau,
Clych o gariad fawr o'r dechrau,
Beth bynnag oedd oer gân ar goedd,
Mi glywais floedd aflawen,
Sef enwi'r Cythrel, uchel ochen,
Geiriau diball, garw eu diben;
Gobeithio na ddaw amryw bethau,
Bwyth o'ch penyd, byth i'ch pennau;
Mater mawr oedd rhoi ar lawr

Modd dirfawr tramawr trymedd,
Fod Diawl yn feistr cymar camwedd,
I ddynyn doniol dethol doethedd.

Nid barnu 'chwaith, considrwch chwithau
Mor ddigariad ydi'r geiriau,
Os gwnaeth drwy gynnwr' eich goganu,
'Roedd arno i'w henwi fai am hynny;
Mae pawb yn d'wedyd ar ôl ei ddigio,
Pwyth naws manwl, peth nas mynno;
Ac felly o hyd mae y byd
Mewn penyd yn poeni,
Ac yn ymgludo i fwy o g'ledi
Heb droi yn lanwaith i oleuni;
Ni eill 'r un dyn fod tros ei bobol,
Yr ydwy'n d'wedyd, yn atebol;
Os ydyw'r plant yn canlyn chwant,
Fel y mae cant yn cowntio,
Duw roddo mwynder, ras i'w mendio,
Eill neb eu canlyn, hawdd yw coelio.

Wel, mater caled, mi wn y coeliwch,
I'r ddau enaid, onid unwch;
Gwyddoch bob un ei hun un hynod,
Fwy na dyfais ifanc dafod;
Mae cyngor dethe, medd rhai doetha',
Weithia'n gweithio o ben y gwaetha';
Duw nefol dad a roddo'i rad,
Trwy gariad hawddgarwch,
I wneud yn llesol haeddol heddwch,
Rhwng caseion gwaelion gwelwch;
Trowch o ddicter eger ogwydd,
Chwi gewch gariad yn dragywydd;
Dowch yn ôl wrth eiriau Paul
Yn rhadol mewn rhediad,
Yn lle dychanu i ddrygu'n henaid,
Awn i ganu i'r Oen gogoned.

O! na fedrwn wneud tangnefedd,
Trwy nefol gariad i chwi i'w gyrredd,
Gwnewch, os gellwch, heddwch heddiw,
Rhag i chwi 'fory fod yn feirw;
Cofiwch, ddynion, fod dau enaid,
Mewn disgwylfa hyna' henwad,
Am gael rhan yn yr un man;
Mewn gwiwlan le golau,
Duw yn llawen, gywren gaerau,
Orau mwyniant i chwi a minnau;
Pe medrwn wneud eich lle'n y nefo'dd,
Gwir yw'r geiriau, gwnawn o'm gwirfodd;
Dowch efo mi o flaen Duw Tri,
Â gweddi dragwyddol;
I ddawnus nofio i ddinas nefol,
Cyn ein marw mae inni ymorol.

Gwrandewch, Brydyddion: Cerdd gynnar eto yw hon a luniwyd tua 1787, fel yr un flaenorol. Cerdd yw hi i ateb beirniadaeth Elis y Cowper a Bardd Siabod a gollfarnodd Glan-y-gors am lunio cerddi yn dychanu merched, ac yr oedd i Eos Gwynedd (John Thomas, 1742-1818), bardd arall o blwyf Cerrigydrudion, ei ran yn yr ymryson. Wrth annog Glan-y-gors i ochel gogan ac i ddefnyddio ei awen i well dibenion cyfaddefodd Elis y Cowper: 'Rwyf fi wedi llithro fil canwaith 'rwy'n cwyno'. Yn ei dro dywedodd Eos Gwynedd:

> Gad lonydd i'r merched, er gwanned eu gwedd,
> Pob gwawdio ac *ysbeitio,* tro heibio trwy hedd, . . .

Ymddengys mai 'Mari a Chadi' oedd enwau'r merched hyn. Ceir awgrym gan Eos Gwynedd hefyd nad y merched yn unig oedd gwrthrych dychan Glan-y-gors, a alwodd un o'i gymdogion yn 'neidiwr', yn Fethodist brwdfrydig, enghraifft gynnar o'i elyniaeth ddidostur yn erbyn y Methodistiaid (gw. *Eos Gwynedd* [1845], 117-26; *Gwaith Glan y Gors* [1905], 95-104).

Ellis: Ellis Roberts (Elis y Cowper, marw 1789), bardd cynhyrchiol ac anterliwtiwr o fri. Ysgrifennodd lawer o faledi a charolau, a chyhoeddodd nifer o lythyrau crefyddol, 1771-88, a ddisgrifiwyd fel cynhyrchion 'pregethwr bol-clawdd'. Nid oes sicrwydd ymhle na pha bryd y'i ganed, ond bu'n byw yn Llanddoged, Sir Ddinbych. Gw. G. G. Evans, *Elis y Cowper* (1995).

William: William Griffith (Bardd Siabod, fl. 1775-1803). Gŵr o Fryn Coch ger Capel Curig, teiliwr o bosibl, a bardd y cerddi, y carolau plygain a'r carolau gwyliau yn bennaf, er y gallai lunio rhyw lun ar englyn yn ogystal. Diolch i Garneddog y mae cryn dipyn o'i waith ar gael. Ym marn Carneddog yr oedd ei gerddi'n dangos ei fod 'yn ŵr uwchlaw y cyffredin o ran dealltwriaeth a dysg'. Gw. 'Llyfr Bardd Siabod', *Cymru*, XII (1897), 46-9; 'Hen Ganu Nadolig', ibid., XXI (1901), 283; 'Hen Ganu Nadolig', ibid., XXIII (1902), 257-8; 'Carol Plygain, 1776', ibid., XXVII (1904), 277- 8; 'Cerddi Bardd Siabod', ibid., LXIV (1923), 44-5.

rhad: Gras, bendith.

gogoned: Gogoniant, anrhydedd, bri.

XXV

Annerch Jonathan Hughes

Cerdd Newydd, i ofyn llyfr i Jonathan Hughes, y bardd enwog o Bengwern, yn ymyl Llangollen, dros John Gruffydd, gwas yn Hafod-y-maidd.

Tôn: Calon Drom

Hyd atoch gwynion, gyda'ch cennad,
Ŵr da sufyl er deisyfiad,
Un Jonathan Hughes wy'n ethol,
Yma'n bybyr o'r holl bobol,
Pennaeth hynod, yn dda wiwnod am awenydd;
Cannwyll ryfedd ichwi a roddwyd,
A'i goleuni yn dda asbri, o nerth yr Ysbryd.

Nid hyn, ŵr cuf, a bêr eich cofio,
A gyrru atoch, gwir yw eto;
Mae un dalent yn eich dwylo,
'Rwyf fi yn bygwth mynd i'w begio;
Pe bawn yn medru canu cwynion,
Awen wisgi, a synnwyr drwyddi, sain 'madroddion;
Och! ni fedraf ond ynfydrwydd,
Er bod 'wyllys, nid wyf hwylus, ond anhylwydd.

Dealltwriaeth dull y dyri,
Diwad amod, ni rowd imi,
Fawr ddysgeidiaeth ni ches godi,
Na dim yn fanwl i 'sgrifennu,
Dim awenydd, mae'n erwinol,
Ond myfyrio, hir astudio anwastadol,
Ni alla' i felly ganu'n gynnes,
Na phrydyddu, ond rhwyg daflu rhigwm diflas.

Ond clod i enw Duw daionus,
Yma'n gyfan am a gofis,
Fel y medraf mi wnaf adrodd,
Gan ryfygu eich rhywiogfodd;
Gobeithio 'rwy' nad yw'ch ymddygied
I edrych beiau, na chwaith seiliau un cyn saled;
O'ch gwaith yn wiwlan am a welis,
Rhowch 'rwy'n credu, yn ôl eich gallu, â rhywiog 'wyllys.

Cennad wyf â'm cwynfan dyfal,
Dros fachgennyn, llwyd sy'n lledsal,
I gymydog agos imi,
Gwan, dyledog, gan dylodi;
Y byd sy'n gafael yn ei gefen,
Ei gyfaill amla', a'i stori enga', yw Meistr Angen;
Deg o dylwyth, dygn deulu,
Heb allu 'mlwybran ond ef ei hunan, mawr yw hynny.

Yn un o'i blant mae chwant yn codi,
A blys cynnig pleser canu,
Ei holl lwyrfryd trin rhyw lyfrau,
A fo'n gain wiwdeg ar ganiadau;
Fe ganfu wrth ymlid rhyw waith amlwg,
Mewn llyfr newydd, a hwn oedd hylwydd yn ei olwg,
O'i sug flasus seigiau flysiodd,
Fel gwin melys, Och! yn awchus, a chwenychodd.

Un o'r llyfrau a roesoch chwi allan,
O wych hynod waith eich hunan,
Dyna'r dolur sydd yn dilyn,
Oernych ganiad y bachgennyn;
Ni eill o gyrraedd mono ag arian,
Am fod ei ysgwydd, gwael ei ogwydd, gul yn egwan;
Modd i'w gael nid oes, 'rwy'n coelio,
Oni fyddwch o'ch meddalwch moddol iddo.

A rowch chwi o'ch llawrwydd un o'ch llyfrau,
Iddo'n gowled erbyn Gwyliau?
Fe all pan ddelo synnwyr iddo
Gael budd mawr a lles oddi wrtho,
Geill ddysgu darllen yn fwy rhugul,
A charu ymhellach, wres da'n fwynach, Grist a'i 'fengyl;
Gall Duw annwyl er daioni,
A modd helaeth mewn dysgeidiaeth ei ddwys godi.

Ef yw helpwr y rhai gweiniaid,
Efe all roi i blant amddifaid
Fwy goleuni'n eu calonnau
Nag eill ysgolion byd a'u sgiliau;
Geill roi i chwithau ufudda' foddion,
Wobor helaeth a goruchafiaeth yn dra chyfion,
Gras i'ch plant mewn llwyddiant llawen,
Iechyd, llawndra cry' a lesia cywir 'lusen.

Gobeithio byddwch yn drugarog,
I wrando'n fwyn fy nghŵyn anghenog,
A rhoi llyfyr iddo'n llawan
O hyn i'r Gwyliau, mewn modd gwiwlan;
Er imi ar frys ryfygus fegio,
Cael i chwi yw f'wyllys gan Dduw dawnus dâl amdano;
Nid gwisg i'r cnawd, neu ymborth cyfraid,
Yn unig ydi, ond eluseni ar les enaid.

Mae ynddo luniaeth i'r ffyddloniaid,
A gwir hyddysg argyhoeddiad,
Ac amryw seigiau tra gwresogol
I'r rhai sy am nofio i wynfyd nefol;
Duw fo golau pob rhyw galon,
I iawn geisio gras heb ffeilio'n groes o ffyddlon;
I gyd yn gynnes i gyd-ganu;
Duw a'n ledio ac a'n t'wyso ni oll at Iesu.

Mae'n amser imi dewi o'r diwedd,
Â'm tôn anghynnes ddigynghanedd,
Ond os ca' i'r negesyn ddinacáu,
Ni waeth imi hyhi na'r orau;
Ac oni chaf, nid af ond hynny,
I ddynwarad y bri dueddiad o brydyddu;
Hardda' ffasiwn imi orffwyso,
Blin yw'r lluddad canu brigad cwyno a begio.

Jonathan Hughes: Brodor o Bengwern ger Llangollen ac un o feirdd amlycaf y ddeunawfed ganrif (1721-1805). Y garol oedd ei hoff gyfrwng – carolau plygain, carolau haf, carolau calan, carolau tan bared a chanodd liaws o gerddi cynganeddol eraill, ynghyd ag awdlau ar y pedwar mesur ar hugain, cywyddau ac englynion. Cyhoeddwyd ei waith yn *Bardd a Byrddau Amryw Seigiau* (1778). Ceir ei gerddi hefyd yn y flodeugerdd a gyhoeddodd ei fab wedi ei farw, *Gemwaith Awen Gwaith Beirdd Collen* (1806). Lluniodd anterliwt yn ei ieuenctid, *Y Dywysoges Genefetha* (1744), a chefnogodd eisteddfodau'r Gwyneddigion yn nes ymlaen, ond ni chafodd lwyddiant fel bardd eisteddfodol. Ar Hughes gw. Siwan Rosser, 'Jonathan Hughes. Gwerineiddio Llenyddiaeth y 18 Ganrif'. *Y Traethodydd*, Hydref 2001, 235-44.
cuf: Cu, annwyl.
a bêr eich cofio: A bair eich cofio; a bair cofio amdanoch.
anhylwydd: Anghelfydd, trwsgl, aflwyddiannus.
Diwad amod: Amod na ellir ei wrthod, ei amau.
Fawr ddysgeidiaeth ni ches godi: Y mae Glan-y-gors yn ymddiheuro ac yn ymagweddu'n gonfensiynol o lednais wrth annerch y 'pennaeth hynod', ond y mae'n wir, serch hynny, na chafodd fawr addysg ffurfiol.
anwastadol: Afreolaidd, ysbeidiol.
rhywiogfodd: Rhadlonrwydd, hyfrydwch, caredigrwydd, hynawsedd.
dyledog: Mewn dyled.
enga': Engaf, o'r ansoddair 'eng', yn golygu eang, llydan. Ymdengys fod Glan-y-gors yn defnyddio'r ansoddair i olygu 'mwyaf, amlycaf'. Dyry William Owen Pughe 'large' fel ystyr yn ei eiriadur ef.
hylwydd: Manteisiol, hwylus, llwyddiannus.
meddalwch: Yma, tynerwch, mwynder.
moddol: Teg, cwrtais, priodol.
un o'ch llyfrau: At *Bardd a Byrddau* y cyfeirir. Ceir yr ymadrodd 'amryw seigiau' yn y pennill olaf ond un.
cowled: Cowlaid, coflaid, yr hyn a gofleidir.
a lesia: Llesio, llesu, bod o les, bod o fudd i, gwneud lles i.

cyfraid: Enw a ddefnyddir yma fel ansoddair; angenrheidiol, rheidiol.
ffeilio: Anodd gweld beth yw ystyr y ferf yn y cyd-destun hwn. Ai 'ffaelio' yn golygu cyfeiliorni, methu, sydd yma?
t'wyso: Tywyso, tywys, arwain. 'Ac efe a ddywedodd ddameg wrthynt: a ddichon y dall dywyso'r dall?', Luc 6, 39.
lluddad: Lludded, blinder, llesgedd.
brigad: Dengys acenion y llinell fod yr acen yn y gair ar y sillaf gyntaf. Ymddengys mai cam-brint neu gamgopïo am 'bugad' sydd yma. Gw. Rhif XVII.

XXVI

Myfyrdod

Wrth glywed clychau'r brifddinas yn canu ar hanner nos, Calan, 1801

Distawrwydd sydd yn teyrnasu,
Gan daenu dros ein dinas dlos,
Ond ambell hen wyliedydd trigain
Sydd yn wbain hanner nos.

Blwyddyn eto a orffenned,
'Rwyf yn clywed sŵn y clych,
Yn rhybuddio'r anystyriol,
Y gwan a'r nerthol, gwrol, gwych.

Sŵn y clychau a hed trwy'r uchder,
Yn dyner ar adenydd gwynt;
Blwyddyn newydd dda obeithia,
Ond pwy a enwa ddull ei hynt?

Hyderaf fod y clychau eleni
Yn cyhoeddi imi hedd,
Llefaru maent yn eglur, hynod,
"Byddwch barod am y bedd".

Pa sawl cyfaill mwyn a diddan
Oedd nos Galan gynt yn wych?
Galar trist a fyddai eu henwi,
Maent wedi eu rhoddi yn y rhych.

Yr amser yma y flwyddyn nesaf
Efallai na fyfyriaf fi;
Angau a derfyna f'amser,
Ow! Aiff llawer gyda'r lli.

Hyfryd cofio fod addewidion
   I lonni calon dynion da,
Er dioddef nos o boen a chystudd,
   E ddaw boreuddydd hirddydd ha'.

Y rhai cyfiawn a ddyrchefir,
   Hwy a godir yn un gad,
Hwy lewyrchant yn eu hurddas,
   Yng ngolau teyrnas wych eu Tad.

Y rhai isel yn eu hysbryd
   A dderbyn fywyd i ail-fyw;
Angylion glân a sych eu dagrau,
   Wrth rodio uchelderau Duw.

Ymddengys mai'r mesur salm gyda'i odl gyrch gyson, yw'r sail i'r gerdd hon, er ei fod yn afreolaidd yn nwylo Glan-y-gors.

wbain: Ubain, llefain yn uchel.

XXVII

Toriad y Dydd

Yn britho mantell tywyllwch du
  Mae gwawr goleuni mwyn,
Hyfrydwch dydd o'r moroedd draw
  Olwynion haul sy'n dwyn.

Bu e'n ymweled ar ei daith
  Â pharthau pella'r byd,
Mor ffyddlon y dychwela'n ôl
  Yn gywir yn ei bryd.

O'i flaen y daw cenhadon dwys
  Eu rhif, na ddatgan iaith;
Yn llu pelydrawg, yn cryfhau
  Bob ennyd ar eu taith.

Y ceiliog ar ei uchel glwyd
  Sydd wedi rhoddi'i gân,
Yn rhybudd in fod dydd yn dod
  Ar gerbyd golau glân.

Ni welen gynnau ddim o'r coed,
  Mi wela'r dail yn fawr,
Yr wybren yn y dwyrain draw
  Sy'n siriol iawn yn awr.

Fry o'r simneiau gwelir mwg
  Yn codi'n arwydd cu
Fod dydd yn nesu, gan gyffroi
  Bywiogrwydd ym mhob tŷ.

Yn brathu trwy y perthi tew
  Mae'r carwr tua thref,
Yn ôl hir aros gyda Gwen,
  Lle'n ddifyr iawn bu ef.

Mae'r adar bach ym mrigau'r coed
  Yn fywiog iawn bob un,
Ac mi a welaf ym mhob man
  Holl anian ar ddi-hun.

Ond wele eto hyfryd ddydd,
  A'i lewyrch mwyn a llon,
A phwy na ddyry lawen gân
  O dwym serchiadol fron?

O! groeso iti, heulwen hardd,
  A brysia uwch y lli,
I euro pen y mynydd ban
  Â'th hyfryd lewyrch di.

Ni welaist ti dywyllwch cas
  Erioed; ni welaist chwaith
Pa fath beth yw, efe a red
  O'th flaen ar gyflym daith.

Daw ar dy ôl, ond i dy ŵydd
  Ni feiddia ddyfod byth;
Yng nghanol hwn trwy'r nos, O haul,
  Mae dyn yn gwneud ei nyth.

I'r golwg dacw'n dechrau dod
  Glân lygaid cawr y nef,
A phelydrau disglair, hardd,
  Yn wallt ei amrant ef.

Ni feiddiaf edrych arno'n awr,
Mae'i wedd yn dirion iawn;
Pwy arno sylla maes o law,
Yng ngwres canolddydd llawn?

Prin yw cerddi i'r haul yn Gymraeg. Bu Talhaiarn (John Jones, 1810-69), yntau'n fardd o sir Ddinbych, yn amlwg yng ngweithgareddau Cymreigyddion Llundain ym mlynyddoedd canol y bedwaredd ganrif ar bymtheg. Ceir dau gywydd i'r haul ganddo ef, un ohonynt wedi'i gyfansoddi yn Llundain, fel Jac Glan-y-gors. Mewn nodyn o flaen y cywydd hwn dywed am yr haul: 'Ni welwyd mono yn ei ogoniant yn Llundain, cyn heddiw, er ys mis neu chwech wythnos'. *Gwaith Talhaiarn* (1855), 158. Gwyddai Talhaiarn fod mwrllwch a chaddug Llundain yn cuddio gogoniant yr haul yn fynych. Wrth arwain cyfeillion o gwmpas galeri cromen Eglwys Sant Paul, dywedodd: 'yma y ceir golygfa ogoneddus o Lundain, bump o'r gloch y boreu, cyn i fwg myrdd o geginau orhulio y ddinas, a'i gwneud fel y dywedodd Eryron: "Dinas fawr dan nos o fwg".' Ibid., 218-9. Dyma'r math o ddisgrifiad cyfoes a geir gan amryw o ymwelwyr â Llundain, er enghraifft yr Americanwr Dr John Collins Warren a oedd yn astudio yn Ysbyty Guy. Ysgrifennodd at ei dad yn 1799 am Lundain yn y gaeaf: '. . . a constant drizzling, that keeps the town dirty as a kennel, notwithstanding all that can be done. The air is thickened with smoke and vapours, so that it is scarcely respirable; and as for the sun, no one can tell when he was seen'. Henry Steele Commager (ed.), *Britain through American Eyes* (1974), 44. Os cerdd i doriad y dydd yn Llundain sydd gan Jac Glan-y-gors gellir meddwl mai golygfa ar gyrion y ddinas yw hon. Ond gwelwyd yn 'Myfyrdod' uchod y gallai'r bardd sôn am 'ein dinas dlos', ym mherfeddion y gaeaf. Ar y llaw arall, mae'n ddigon posibl iddo gyfansoddi 'Toriad y Dydd' yng Nghymru, yn ei gynefin, er gwaethaf yr awgrym dinesig yn y chweched pennill.

brathu: Ymwthio, treiddio trwy, cymryd llwybr tarw.
ban: Uchel.

XXVIII

Tewch ag Wylo

Emyn a wnaed wrth weld genethig bump oed yn marw

Tewch ag wylo am funud awr,
Mae'r fechan mewn cyfyngder mawr;
Ac eto yn ceisio yn ddi-nam
Gael golwg arall ar ei mam.

Y galon bur sy'n llawn o boen,
Er hyn mae'n diodde' fel yr oen;
Ei llygaid bach sy'n llawn o freg,
Ac yn llonyddu'n ara' deg.

Meddyliwn glywed uwch ein pen
Angel glân o'r nefoedd wen;
Clywch! Mae'n galw arni hi,
"Fy chwaer nefol, dilyn fi".

Yr enaid bach sy'n awr yn rhydd,
Rhaid sychu'r dagrau oddi ar y rudd;
A rhoi ein bryd bob un gerbron,
Am fyw i farw fel gwnaeth hon.

Cyhoeddwyd y gerdd hon yn *Y Greal,* 1805, 26. Dr William Owen Pughe a Thomas Jones, y Bardd Cloff, oedd y ddau olygydd ar ran Cymdeithas y Gwyneddigion a phenodwyd Glan-y-gors yn un o'r golygyddion ar ran Cymdeithas y Cymreigyddion. Dim ond naw rhifyn a ymddangosodd, rhwng Mehefin 1805 a Mehefin 1807. Un rheswm am y bywyd byrhoedlog hwn, mae'n siŵr, oedd gwaith Pughe yn achub y cyfle i wthio ei syniadau ei hun ar orgraff a chystrawen iaith y cylchgrawn, 'y gorchestawl ramadegawl gyfnewidiad yn yr Egwyddor Gymreig', meddai Glan-y-gors mewn llythyr difyr at William Williams, Llandygái, ar ddiwedd Medi 1805.

Gw. Glenda Carr, *William Owen Pughe* (1983), 157-8. Yn nes ymlaen, cynhwyswyd y gerdd yn y cyfnodolyn eglwysig *Y Gwyliedydd*, 1833, 313, gyda'r dyddiad 1805 wrthi.

genethig bump oed: Yr oedd Angau yn ymwelydd brawychus o gynnar yn y ddeunawfed ganrif. Yr oedd un o bob pum baban yn marw cyn bod yn flwydd oed. Mewn rhai plwyfi yn Llundain ym mlynyddoedd canol y ganrif, yr oedd tri o bob pedwar plentyn yn marw cyn iddynt gyrraedd eu chwech oed. Cyrhaeddodd Richard, un o'r brodyr Morris enwog o Fôn, Lundain yn gynnar yn ugeiniau'r ganrif. Ni oroesodd ond un o'r deg o blant a gafodd ei wraig gyntaf a chollodd saith o ddeg o blant ei ail wraig. Nid oedd y sefyllfa fawr gwell yn hanner cyntaf y ganrif nesaf. Dengys cofrestri plwyf Lloegr, 1813-30, fod 20% o'r claddedigaethau yn blant dan flwydd oed a 35% dan bump oed.

breg: Diffyg, nam.

XXIX

Brwydr Trafalgar

Cân Newydd, a wnaed mewn perthynas i'r frwydr ddiweddar ar y môr, ym mha un y lladdwyd y gwych ryfelwr, Arglwydd Nelson.

Tôn: Trymder

Rhoddwn glod barod bur
  I'r gwŷr a'u gwaith,
Bu gwych ryfelwr Prydain Fawr
  Mewn brwydyr faith;
Yn awr y caed newyddion coeth,
O blith y gynnau, peiriau poeth,
Ein Llynges ni, trwy allu doeth,
  A 'nillai'r dydd;
Er cymaint llwyddiant fu i'n llaw,
Daeth hefyd drymder oddi draw,
Mae'r haul yn glau tan gwmwl glaw,
  Gwnaeth braw ni'n brudd.

Er cael y frwydyr cysur c'oedd,
  Ar y moroedd mawr,
Fe aeth rhyfelwr cynta'r oes
  Drwy loes i lawr;
Y mae gresyndod cryndod cri,
Ow! colli'n Nelson ddarfu ni,
Nid aeth o'n bro un mwy mewn bri,
  Rhaid henwi hyn;
Rhown fawl i gyd i'n nefol gôr,
Rhyw allu a sai yw 'wyllys Iôr,
Ow! colli arglwydd mawr y môr,
  Wnaeth Siôr yn syn.

Llawer gwreigan weddw sydd
  Yn brudd gerbron,
Bydd galar hir ac wylo hallt,
  Am gywely hon;
Peth mawr na fedrai dynion fyw
Yn ara' deg trwy eiriau Duw,
Nid ydyw rhyfel o bob rhyw
  I'n clyw ond clwy';
Rhown ein gweddïau, gorau gwaith,
Er mwyn dedwyddwch cnawdol daith,
Am heddwch heb ymrafael maith
  O ryfel mwy.

Lladdwyd Nelson ym Mrwydr Trafalgar ar 21 Hydref 1805, 'a chyn gwyliau y Nadolig', meddai Carneddog, 'yr oedd miloedd o gopiau o'r gerdd hon wedi eu gwerthu ledled Cymru. Mae'n gamp taro ar ddalen o honi mewn unrhyw gartref o Drefriw i Dyddewi'. *Gwaith Glan y Gors*, 73. Marwnadodd Jonathan Hughes, cyfaill Glan-y-gors, i Nelson, ei gerdd olaf cyn marw, meddir. Yn 'Cwynfan *Britannia*, yn ei galar a'i Thristwch', a ganwyd ar yr un dôn, ceir mynegiant naturiol o falchder ym muddugoliaeth Nelson, ond nid yw'n ymollwng i frolio'n jingoistaidd. Yn hytrach, fel Glan-y-gors, mynegir tristwch oherwydd colledion y rhyfela:

Peth trist yw clywed trwst y cledd,
Yn plygu'r plant i bant y bedd,
O'r gwŷr hawddgara' gwycha' eu gwedd,
  Mewn camwedd cyd.

Gemwaith Awen Beirdd Collen (1806), 179

Yn Eisteddfod Aberhonddu, 1826, enillodd Gwilym Hiraethog ar y testun 'Cywydd ar Frwydr Trafalgar, a marwolaeth y pen llyngesydd Nelson' – 'cyntafenedig fy awen', meddai. *Caniadau Hiraethog* (1855), viii, 147-55.

coeth: Gwych, rhagorol, yn y cyswllt hwn.
clau: Eglur, amlwg.
Siôr: Y brenin George III.
llawer gwreigan weddw: Cyfeiriad, wrth gwrs, at weddwon y morwyr a laddwyd. Priododd Horatio Nelson wraig weddw a'i thynged hi oedd bod yn weddw yr eilwaith ar ôl Brwydr Trafalgar. Braidd yn amwys yw'r sôn yn nes ymlaen 'am gywely hon', yn hytrach nag 'am gywelyau'r rhain'. Ai cyfeiriad at weddw Nelson neu at Emma Hamilton, ei feistres, sydd yma?

Lladdwyd rhyw bedwar cant a hanner o swyddogion a morwyr Prydeinig yn y frwydr, yn cynnwys Nelson, a chlwyfwyd rhyw ddeuddeg cant. Collodd y Ffrancwyr a'r Sbaenwyr bron bedair mil a hanner.

XXX

Mawlgerdd y Duc o Norffolc

Holl feirddion urddasol sydd beunydd yn bod,
I'r gwych Dduc o Norffolc yn g'lonnog rhowch glod,
Am ddweud, yn ardderchog ddyn talog, fel tŵr,
Ei fod o waedoliaeth ein Owain Glyndŵr.

Wel, dyna hen Gymro fu'n llunio gwellhad,
Un hynod o fedrus i 'mddiffyn ei wlad;
Ei wŷr, gyda'u saethau yn gwau yn y gwynt,
Ddiffoddodd orthrymder, hen gaethder oedd gynt.

Fe gododd y brenin, a'i fyddin oedd fawr,
Ar fedr lladd Cymru, a'i llethu i'r llawr;
Nid oedd ganddo gwedyn i'w ganlyn un gŵr
Oedd deilwng i daro ag Owain Glyndŵr.

Rhyfela am gyfiawnder, a'i hyder ei hun,
O! ryfedd, am ryddid gadernid y dyn;
Mae'n gwladwr o Norffolc, un enwog iawn ŵr,
O ran meddwl yn debyg i Owain Glyndŵr.

Ysgrifennwyd y gerdd hon ar ôl i Charles Howard (1746-1812), yr unfed ar ddeg o Ddugiaid Norffolc, areithio i'r 'Society of Ancient Britons' yn Llundain ar Ddydd Gŵyl Ddewi, 1796. Ymddangosodd y gerdd yn *The Sporting Magazine*, 1796, ac eilwaith yn *The Chester Chronicle*, 1802, gyda'r dyddiad 15 Mawrth 1802, wrthi. Saesneg oedd prif iaith y gymdeithas hon ac unwaith yn unig y byddai'n cyfarfod, i wledda ar Ddydd Gŵyl Ddewi. Etifeddodd Howard y ddugaeth ar farwolaeth ei dad, 31 Awst 1786. Adwaenid ef fel gŵr a oedd yn arbennig o hoff o gyfeddach ac yr oedd ganddo hefyd ddiddordeb mawr yn hanes ei deulu. Fe'i gwelir yma, felly, wrth ei fodd yn cyfeddach gyda Chymry Llundain ac yn brolio ei fod yn un o ddisgynyddion Glyndŵr.

XXXI

Englynion

Er coffadwriaeth am *John Edwards*, Glyn Ceiriog, ym mhlwyf Llangollen, swydd Ddinbych, yr hwn a elwid yn gyffredin SIÔN CEIRIOG, Bardd, Areithiwr hynod a hefyd Serydd a Hanesydd cywrain am Fôr a Thir, a thriniwr offerynnau cerdd a gwir garwr ei wlad a'r Hen Famiaith Gymraeg, yr hwn (er mawr alar i'w gyfeillion) a fu farw ac a gladdwyd yn Llundain ym mis Medi, 1792.

Detholiad

Cwyno ac wylo mewn galar – 'r ydwyf
Am buredig gymar:
Angau fyth (eang ei fâr
Du-oer) yw brenin daear.

Anrhydedd, mawredd tra maith – yn gyfion
Gafodd am farddoniaeth;
A'i ddethol wrol araith
Roddai rym i wraidd yr iaith.

Dethol, hynodol ydoedd – a hynaws
Am hanes teyrnasoedd
O wythen dysg; iaith nid oedd
O'i wybodaeth, mewn bydoedd.

Ymeiriai am y moroedd – mewn rhinwedd
A phob rhan o'r tiroedd;
Sôn Saeson, yn oes oesoedd
Am Siôn Ceiriog, enwog oedd.

Y beirddion hoywon, mewn hedd – rai parchus
Sy'n perchen cynghanedd!
Seiniwch, coronwch ei rinwedd
Er ei fod mewn oer fedd.

Teyrnas fwy addas fo iddo – trwy'r dyddiwr
A fu'n diodde' drosto;
A'i enaid yn cyduno
Â'r llu nefol, freiniol fro.

Cyhoeddwyd yr englynion hyn yn *Y Geirgrawn; neu Drysorfa Gwybodaeth*, VI (Gorffennaf 1796), 159-60, y cafwyd naw rhifyn ohono, Chwefror-Hydref 1796. Ceir y dyddiad Ebrill 1796 wrth yr englynion. Golygwyd *Y Geirgrawn* gan David Davies, gweinidog Annibynnol yn Nhreffynnon. Cylchgrawn radicalaidd ydoedd; cyhoeddwyd ynddo gyfieithiad i'r Gymraeg o 'La Marseillaise' gan Tomos Glyn Cothi, a phlediai egwyddorion y Chwyldro Ffrengig a gwrthryfelwyr America. Bu David Davies mewn perygl o du'r Llywodraeth oherwydd y daliadau hyn. Ar dudalennau'r *Geirgrawn* y cafwyd yr ymosodiadau ar lyfr Glan-y-gors, *Seren Tan Gwmmwl.* Mewn nodyn gan Hugh Maurice yn ei gopi o'r rhifyn hwn o'r cylchgrawn a gedwir yn y Llyfrgell Genedlaethol, dywedir bod Glan-y-gors yn gwerthu'r *Geirgrawn* yn Llundain dros y golygydd.

Siôn Ceiriog: John Edwards (1747-92). Brodor o Lyn Ceiriog, Sir Ddinbych, bardd ac aelod amlwg o Gymdeithas y Gwyneddigion. Bu'n ysgrifennydd ac yn llywydd y gymdeithas. Digiodd Owain Myfyr a beirdd y mesurau caeth trwy ganu cân rydd 'bindaraidd' pan gynigiodd Cymdeithas y Cymmrodorion wobr am farwnad i Richard Morris yn 1780 – dyna'r cyfeiriad cellweirus yn y pumed englyn uchod. Yr oedd Siôn Ceiriog yn enwog ymhlith y Cymry yn Llundain am ei areithio ffraeth.

bâr: Llid, cynddaredd.

gwythen: Gwythïen, yn golygu tras, llinach, yn y cyd-destun hwn.

ymeiriai: Dadleuai.

dyddiwr: Cymodwr, cyfryngwr; gair a ddefnyddir yn fynych am Grist.

XXXII

Cân Newydd J. J. Glan-y-gors a Bardd Môn

Tôn: Glan Medd-dod Mwyn

Hil Gomer mal gemau, aelodau'r hen wlad,
Dowch yn gytunol mewn llwyddol wellhad
I gynnal llawenfyd a hawddfyd mewn hedd,
Ni fynnwn ryw fwyniant o lwyddiant i'r wledd;
Gan fod Cymreigyddion yn ddynion o ddawn,
Ein hiaith a ddatganwn, ni a'i gwyddwn hi'n iawn,
Wrth drin y gelfyddyd pob gwynfyd a gawn.

Byrdwn: Parchwn ein Tywysog mor rhywiog â'r ŵyn,
A chanwn mal adar yn llafar mwyn llwyn,
A gwyliwn fynd ormod i lan medd-dod mwyn.

Deued pob prydydd, dewr, ufudd, da 'i ryw
I gadw cynghanedd a'i fawredd yn fyw,
A chwithau ddatganwyr, iawn glymwyr y glod,
Mae i chwi anrhydedd wych buredd yn bod;
Er gwaetha' rhai beilchion a lladron pob lle,
Mae iaith yr hen Gymro yn gwreiddio ynddo'n gre',
Ac ynte'n byw'n llawen tan aden Duw Ne'.
Parchwn, &c.

Pwy sydd mor fedrus mewn ynys â ni
Am ddeall cwrs natur, hardd frodyr, un fri?
Ein pynciau a'n dadleuon mal rhoddion sy'n rhydd,
Heb weniaith a balchder na dicter un dydd;
Mae yma bob Cymro yn llunio gwellhad,
Ein rhyddid a fynnwn, ni a godwn yn gad
I gadw ag un fwriad arferion ein gwlad.
Parchwn &c.

Dymuniadau
Oes y byd i'r iaith Gymraeg.
Ein brodyr yng Nghymru a phob rhan o'r byd
Llynges a byddin Prydain.

Ceir y gerdd hon yn LlGC 1817E, 103. Peth cyffredin ymhlith beirdd Llundain oedd canu cerddi yn annerch Cymdeithas y Cymreigyddion ac yn annog ffyddlondeb i'r gymdeithas ac i Gymru. Fel y dengys y byrdwn a'r 'Dymuniadau', gwladgarwch diwylliannol, brwdfrydig, oedd y safbwynt hwn. Brodor o Fodedern oedd William Jones, Bardd Môn (1778-1819). Bu'n rhaglaw, yn ysgrifennydd ac yn llywydd Cymdeithas y Cymreigyddion. Gw. Dafydd Wyn Wiliam. 'Y Traddodiad Barddol ym Mhlwyf Bodedern'. *Trafodion Cymdeithas Hynafiaethwyr Môn*, 1975, 28-35; 61-4.

mal: Fel.

ein Tywysog: George (1762-1830), Tywysog Cymru, mab hynaf y brenin George III. Ymroes i fywyd o loddesta, mercheta a diota. Cyfeirid ato fel 'The Prince of Whales' gan iddo fynd mor dew. Daeth yn Rhaglyw Dywysog yn 1811 oherwydd gwallgofrwydd ei dad, y salwch a oedd yn symptom o borffyria, ac yn frenin, George IV, yn 1820.

mwyn llwyn: Gwall am 'mewn llwyn', o bosibl.

Cân Newydd, sef Hanes Carwriaeth rhwng J. Jones, Glan-y-Gors, a Gwraig Weddw o Gymru

Hai, clywch y Cymry cywrain
Sy'n Llundain yn wŷr llon,
Mi draethaf i chwi 'nghyffes
A fy hanes yr awr hon,
Fel y bûm i'n rhodio Cymru,
Ac yn ceisio caru cwrs,
Gwraig weddw yn ei pharlwr
Oedd â phowdwr yn ei phwrs.

Fel yr hen Jones o Lundain,
Er f'awydd i'r hen wrach,
'Roedd rhai yn rhoi i minnau,
Heb amau, Wenno bach,
Ond eisiau mwy o arian
Oedd arnaf yn ddi-feth,
Mi ddiengais braidd oddi arni,
Heb enwi i ba beth.

Pan es i gynta' i Gymru,
Byddwn weithiau'n gyrru'r *gig*,
Megis Dic Siôn Dafydd,
Ond fy mod heb bowdro *'ngwig*,
Gan feddwl mai wrth hynny
Y cawn i garu yn gynt
Y wraig weddw oedd â'i heiddo
Felly i'm hudo ar ei hynt.

Mi gefais ar y cyntaf
Ei charu'n wisgi wawr,

Mor rhwydd â'r T'wysog Coburgh
A gadd aeres Prydain fawr;
A marchogaeth yn ei cherbyd
Oedd fy helynt ar fy hynt,
A'i charu hi yn y gwely,
Yn ôl arfer Cymru gynt.

Ond fel mae pob gwraig weddw
Yn wyllt am geisio gŵr,
Dechreuai hithau frolio
Wrth ei pherth'nasau'n siŵr,
Ei bod hi am briodi
O ddifri' hefo mi,
Tybiais innau fod y fargen
Yn siŵr o'i hochor hi.

Ond cyn y dydd priodas,
Cododd corn ar ei throed,
Daeth doctor ati i'w dorri,
Rhyw hogyn o ran oed;
A hwnnw â dyfais hynod
Yn barod yn ei ben,
Cododd ogles ar ei heglau,
Gan chwarae â'r hen ferch wen.

Wrth ei weled e'n dod ati,
Ac felly yn parhau,
'Roeddwn innau yn lled dybied
Fod carwriaeth rhwng y ddau;
'Roedd un yn caru'r arian,
A'r llall yn caru'r cnawd,
Yr hen wraig cyn pen ei dyddiau
A briodai'r llencyn tlawd.

Ac felly ces fy siomi,
Eleni yn y wlad,
A dod i Lundain eilwaith,

Ysywaeth heb lesâd;
A phawb a ŵyr fy helynt,
Sy'n chwerthin am fy mhen,
A'm galw i'n garwr digri',
Am golli'r hen ferch wen.

Ac wedi cael fy siomi,
'Doedd dim yn well i mi
Na charu fy hen gariad,
Fy Ngwenno bach oedd hi;
Mi'i cefais, 'rydwy'n cofio,
Heb ddigio wrtha' i'n ddwys,
A'i chariad ata' i eto,
Wedi'i buro yn fwy ei bwys.

Cân Newydd: Yr enw a welir ar dudalen teitl y gerdd daflen hon, a argraffwyd (heb ddyddiad) gan Peter Evans, Caernarfon, '*Dros Ymdeithydd*', yw William Jones, Bardd Môn. Fel y gwelwyd uchod, lluniodd ef a Glan-y-gors gerdd ar y cyd i Gymdeithas y Cymreigyddion, ond y mae'r cyfeiriad at y Tywysog Albert yn y pedwerydd pennill yma yn profi na chyfansoddwyd y gerdd hon cyn 1840. Dechreuodd Peter Evans argraffu yng Nghaernarfon yn 1818 a bu farw ar 14 Mawrth 1856. Rhaid felly fod y gerdd wedi'i chyfansoddi yn ystod y cyfnod 1840-56. Yn *Llyfryddiaeth Môn* dyry Dewi O. Jones John Owen, yn ogystal â William Jones (1778-1819) dan yr enw barddol Bardd Môn, ond ni cheir rhagor o wybodaeth am yr Owen hwn. Ni welais ddim tystiolaeth mai Bardd Du Môn (Robert Williamson, 1807-52) oedd y prydydd dychanus hwn. Y teitl llawn yw:

> CÂN NEWYDD, sef HANES CARWRIAETH rhwng *J. JONES, GLAN-Y-GORS*, a GWRAIG WEDDW O GYMRU; *Y SIOMEDIGAETH A DDIGWYDDODD*, A'I DDYCHWELIAD YN ÔL I LUNDAIN AT EI HEN GARIAD, yr Hon y buasai ef yn cadw ei chwmni am y'nghylch dwy ar bymtheg o flynyddoedd. *GAN WILLIAM JONES, BARDD MÔN.*

Y mae ar gael 'Hen Gân' ddychanus, ddi-enw, a gopïwyd gan Dafydd Roberts, Telynor Meirion, a'i cafodd 'gan hen ŵr', sydd yn sôn am Jac Glan-y-gors yn mynd i garu yn 'glamp o garmon' ac yn mynd i'r tŷ mawn i aros ei gariad. Ond pan ddaw hi a'r gwas bach i godi mawn, caiff ei luchio allan gyda'r ieir i mewn i'r fasged. Gw. *Cymru*, XXXIII (Awst), 1907, 74.

yr hen Jones o Lundain: Cyfeiriad at Edward Jones, gw. Rhifau VII, VIII.

Y wraig weddw oedd â'i heiddo: Dylid cofio bod y gŵr priod yn meddiannu arian ac eiddo'r wraig yn y cyfnod hwn. Ni allai werthu'r tir a oedd ganddi, ond ef a dderbyniai unrhyw incwm oddi wrtho, ac ef a reolai'r tir hwnnw. Bu'n rhaid aros tan Ddeddfau Eiddo Gwragedd Priod, 1870, 1882, cyn i wragedd gael yr hawl i'w heiddo eu hun.

T'wysog Coburgh: Albert Saxe-Coburg-Gotha (1819-61), a briododd y frenhines Victoria ar 2 Chwefror 1840.

heglau: Y rhan isaf o'r coesau.

Araith Jac Glan-y-gors yng Nghymdeithas y Cymreigyddion, 1796

Y Geirgrawn; neu Drysorfa Gwybodaeth, Gorffennaf 1796, 185-6.

"Hynaws Garedig Gydwladwyr"

Mae'n hysbys i chwi gymaint o ddaioni, o oleuni, ac o wybodaeth, y mae'r gelfyddyd o argraffu llyfrau wedi roddi i'r byd. Er bod gwŷr da, cywrain, doniol, a dysgedig yn y byd, yn yr hen oesoedd aethant heibio, eto, nid oes ond ychydig o'u sgrifenadau wedi cyrraedd i'n dwylaw ni; ac y mae y rhan fwyaf o'r rheini sydd, yn anh[a]wdd i'w cael, ac yn anhawsach i'w darllen.

Wrth feddwl am hyn ni fedraf lai nag ocheneidio, a thristáu, pan fyfyriwyf fod cymaint o hen weithredoedd ardderchog ein cyndeidiau wedi disgyn i lwch angof, a hynny o eisiau bod y gelfyddyd o argraffu mewn bod yn eu hamser hwy. Ond Ow! mor resynus yw meddwl fod y gelfyddyd uchod, yn bresennol yn disgleirio fel yr haul, a'n cydwladwyr tlodion yng Nghymru heb gael gwybodaeth na goleuni oddi wrthi.

Mae hefyd, lawer o Gymry (os teilwng eu galw felly) wedi iddynt ddysgu trawsnaddu rhyw ychydig o Saesoneg, er mwyn porthi eu balchder uffernol, yn cymeryd arnynt eu bod wedi gollwng iaith eu mamau yn angof, ond daliwch chwi sylw ar y *tyrchod* coegfeilchion, y rhai sydd haws ganddynt roddi darn o aur am roi llwch yn eu gwalltau (i fod megis yn arwydd weledig oddi allan nad oes dim synnwyr oddi fewn) nag y rhônt un ddimau i wneuthur daioni i'w cydwladwyr, nag i neb arall a fo ag eisiau arnynt. Pan fyddo dyn yn gwadu iaith ei fam ac yn ceisio gwadu ei wlad, mae hynny'n dystiolaeth fod yn dda gan ei wlad gael ei wadu yntau, a'i fod e'n w'radwydd i'w wlad pan oedd ynddi. Cymaint â hyn yma, Mr Llywydd, am y gwŷr boneddigion sydd yn ceisio gwadu a gw'radwyddo eu gwlad, eu hiaith, a'u cenedl.

Ond i ddyfod at y pwnc. Dyma *Eirgrawn; neu Drysorfa Gwybodaeth*, yn Gymraeg, wedi cael ei argraffu tan oruchwyliaeth un Dafydd Davies o

Dreffynnon, yn Sir Fflint. Er nad ydwyf yn adnabod y dyn, yr wyf yn meddwl ei fod yn ddyn cymwys i gymeryd y fath orchwyl buddiol mewn llaw; nid oes un ffordd fwy cymwys i'w chymeryd i oleuo ein cydwladwyr na danfon llyfr o werth mor isel â phedair ceiniog i'w plith un waith yn y mis; tan obeithio y byddant yn ei dderbyn yn galonnog ac yn ddiolchgar. Mae'n enbyd meddwl bod y Cymry yn cael eu diystyru gan gywion cenhedloedd tramor oherwydd eu dallineb a'u hanwybodaeth; a hynny yn eu hen wlad eu hunain. Gan hynny, gyfeillion, gadewch i ni ddeffro yma yn Llundain i fod yn golofnau tân yr hen famiaith trwy gynnig y Geirgrawn i bob Cymro sydd yn caru ARFERION AC IAITH EU GWLAD. I ddiweddu, yr wyf yn deisyf cael cennad i yfed iechyd goruchwyliwr y Geirgrawn yn gyhoeddus; gyda diolch, llwyddiant a rhwydd-deb iddo ef fynd ymlaen â'r gwaith.

argraffu llyfrau: Mae'n amlwg fod Glan-y-gors yn effro i'r cynnydd mawr yn ei oes ym maes argraffu. Erbyn iddo gyrraedd Llundain yr oedd mwy na chant ac ugain o lythrenweisg yn y ddinas. Cyhoeddwyd *Seren Tan Gwmmwl* a *Toriad Y Dydd* yn Llundain; a hyd yn oed yng Nghymru – er gwaethaf ei sylwadau yn yr araith hon – yr oedd datblygiad tebyg ar waith, yn enwedig yn ail hanner y ddeunawfed ganrif, er nad oedd mor drawiadol â'r hyn a oedd yn digwydd yn y brifddinas. Yn sicr, elwodd argraffwyr Cymreig ym mhob man ar boblogrwydd cerddi Glan-y-gors. Am y cefndir cyffredinol gw. Eiluned Rees, 'The Welsh Book Trade from 1718 to 1820', *A Nation and its Books* (eds. Philip Henry Jones & Eiluned Rees, 1998), 123-33.

cywrain: Medrus, doeth.

doniol: Dawnus, talentog.

ARFERION AC IAITH EU GWLAD: Ychwanegwyd nodyn yn dweud 'Motto, neu arwydd 'scrifen y *Gwyneddigion*'.

TONAU

MYNEGAI I'R LLINELLAU CYNTAF

LLYFRYDDIAETH

Awen Fywiog, Yr (1858).

Awen Lawen, Yr (1826).

Blwch o Bleser i Ieuenctyd Cymru (1816).

Cerddi'r Wlad: sef casgliad dyddorol o Brif Awen-gerddi Sion o Lan y Gors, Elis y Cowper, Bardd y Gwagedd. Ac eraill (d.d.).

Davies, Robert (Bardd Nantglyn), *Barddoniaeth* (1803).

Edwards, O. M., 'Cerddi Glan y Gors', *Cymru*, XXIX (1905), 133-6.

Foulkes, Isaac (Llyfrbryf), 'John Jones o Lanygors', *Y Geninen*, I (1883), 275-281.

Griffith, Richard (Carneddog), *Gwaith Glan y Gors* [1905].

Hughes, John Ceiriog, *Gemau'r Adroddwr* (d.d.).

Jenkins, R. T. & Helen M. Ramage, *A History of the Honourable Society of Cymmrodorion and of the Gwyneddigion and Cymreigyddion Societies (1751-1951)* (1951).

Jones, Albert E. (Cynan), 'Jac Glan-y-gors 1766-1821', *Trafodion Cymdeithas Hanes Sir Ddinbych*, XVI (1967), 62-81.

Jones, Emrys (ed.), *The Welsh in London 1500-2000* (2001).

Jones, John, Glan-y-gors, *Seren Tan Gwmmwl a Toriad y Dydd. Argraffiad Newydd* (1923).

Jones, Myddleton Pennant, 'John Jones of Glan-y-gors', *The Transactions of the Honourable Society of Cymmrodorion*, 1909-10, 60-94.

Leathart, William Davies, *The Origin and Progress of the Gwyneddigion Society* (1831).

Lewis, J. S., 'Jac Glan y Gors', *The Welsh Outlook*, VI (1919), 238-9.

Llinos, Y (1827).

Matthews, E. Gwynn, *Jac Glan-y-gors a'r Baganiaeth Newydd* (1995).

Millward, E. G., 'Cymdeithas y Cymreigyddion a'r Methodistiaid', *Cylchgrawn Llyfrgell Genedlaethol Cymru*, XXI (1979), 103-110.

Idem, 'Ychwanegiadau at Brydyddiaeth Jac Glan-y-gors', *Bwletin y Bwrdd Gwybodau Celtaidd*, XXIX (1982), 666-73.

Idem, 'Nodyn ar ddwy gerdd gan Jac Glan-y-gors', *Canu Gwerin*, 24 (2001), 42-9.

Morgan, James Hubert, 'Traethawd beirniadol ar Fywyd a Gwaith John Jones, Glanygors', Traethawd MA Prifysgol Cymru, 1929, heb ei gyhoeddi.

Owen, Bob, 'Jac Glanygors a'r Milisia', *Y Genhinen*, III (1952), 1-7.
Robin Gwyndaf, gw. Eifion Roberts a Robin Gwyndaf, *Yn Llygad yr Haul* (1992), 296-99.
Thomas, Dafydd (Dafydd Ddu Eryri), *Corph y Gaingc* (1810).
Thomas, John (Eos Gwynedd), *Eos Gwynedd* [1845].
Williams, Clare (ed.), *Sophie in London 1786* (1933).